CHARLES DICKENS

UMA HISTÓRIA DE NATAL

Texto integral

Tradução
Ana Maria Machado

Ilustração
Vinício
Jota

Altamente recomendável – FNLIJ

editora ática

Título original: *A Christmas carol*
Título da edição brasileira: *Uma história de Natal*

Editor	Fernando Paixão
Assistente editorial	Mário Vilela
Preparador	José Roberto Miney
Coordenadora de revisão	Ivany Picasso Batista
Revisora	Luciene Lima

ARTE

Ilustração de capa e miolo	Vinício Jota
Editor	Jayme Leão
Editoração eletrônica	Jayme Leão
	Antonio U. Domiencio

CIP-BRASIL. CATALOGAÇÃO NA FONTE
SINDICATO NACIONAL DOS EDITORES DE LIVROS, RJ

D545h
5.ed.

Dickens, Charles, 1812-1870
Uma história de Natal / Charles Dickens; tradução de Ana Maria Machado; ilustrações Vinício Jota. - 5.ed. - São Paulo : Ática, 1999.
112p. : il. - (Eu Leio)

Tradução de: A Christmas carol
ISBN 978-85-08-05598-2

1. Literatura infantojuvenil inglesa. I. Machado, Ana Maria, 1941-. II. Jota, Vinício. III. Título. IV. Série.

10-2518. CDD: 028.5
CDU: 087.5

ISBN 978 85 08 05598-2
CL: 731282
CAE: 226277
Cód. da OP: 261192

2025
5ª edição
24ª impressão
Impressão e acabamento: Forma Certa Gráfica Digital

Av. das Nações Unidas, 7221 – CEP 05425-902 – São Paulo, SP
Atendimento ao cliente: 4003-3061 – atendimento@aticascipione.com.br
www.coletivoleitor.com.br

CHARLES DICKENS
Entre a denúncia e o otimismo

Ana Maria Machado

Charles Dickens nasceu em 1812 em Portsmouth, na Inglaterra, e morreu em 1870, em Londres, para onde sua família se mudara quando ele tinha dez anos. Foi um dos maiores escritores ingleses de sua época e um dos mais populares no mundo todo.

Quando Dickens era criança, seu pai enfrentou grandes dificuldades econômicas, chegando a ser preso por dívidas logo que foi para Londres. O menino Charles precisou sair da escola e ir trabalhar numa fábrica, colando rótulos em garrafas durante horas a fio — pois naquele tempo as jornadas eram muito mais longas do que hoje e não havia ainda conquistas como a proteção ao trabalho do menor, o descanso semanal remunerado e o direito a férias e feriados (como se pode ver no texto de Uma história de Natal, *por exemplo). Depois, a família teve a sorte inesperada de receber uma pequena herança, o que permitiu que as dívidas fossem pagas, o pai saísse da cadeia e o pequeno Charles pudesse finalmente voltar à escola (embora a mãe não quisesse e brigasse com o marido por causa disso).*

Estudioso, gostando de ler e de escrever, começou a trabalhar como repórter com vinte anos, cobrindo os debates no

Parlamento britânico. Aprendeu a reproduzir o que ouvia, a observar com atenção. E achou graça em muitas das coisas que aconteciam no meio político. Passou a escrever, com pseudônimo, umas histórias humorísticas para diferentes jornais. Como fez muito sucesso, encomendaram-lhe uma série especial, longa e totalmente inventada. Dessa encomenda saíram As aventuras do sr. Pickwick *(*The Pickwick papers*), seu primeiro livro, que foi publicado quando Dickens tinha vinte e quatro anos e lhe trouxe enorme fama e popularidade, transformando-o no romancista mais festejado de seu tempo.*

Retrato de uma época

A obra de Dickens é muito vasta e variada, mas a maioria de seus enredos está intrinsecamente ligada a Londres. E, embora se possam ler seus livros com muito prazer e entendê-los bem só com a leitura (pois não são difíceis nem complicados), a verdade é que fica possível apreciar tudo ainda mais e entender melhor as histórias quando se conhecem um pouco a sociedade e a época em que o escritor viveu. Por isso vale a pena falar um pouco delas e examinar mais de perto o tempo de Charles Dickens, a chamada

O reinado da rainha Vitória foi dos mais longos: 64 anos. Nesse período, a Inglaterra viu crescerem sua riqueza e seu poder — mas também seus problemas sociais, retratados de modo pungente nos livros de Dickens

No tempo de Dickens, novidades como o telégrafo, as ferrovias e a navegação a vapor estavam deixando o mundo cada vez menor. A obra do escritor era um bom exemplo disso: logo estaria sendo lida nos países mais distantes

"era vitoriana" (1837-1901), que tem esse nome porque corresponde ao reinado da rainha Vitória na Grã-Bretanha.

Foi um longo período de transição entre um mundo que se encerrava e outro que começava. Um tempo de muitas mudanças rápidas, que incorporava novas tecnologias e novos modelos sociais, enquanto deixava para trás velhas instituições e doutrinas. Contudo, nem sempre havia coisas novas para substituir as velhas...

Mesmo na época, as pessoas tinham consciência de que estavam vivendo um período que era diferente do passado. O desenvolvimento das ferrovias transformava as paisagens e substituía cavalos, diligências, carruagens e estábulos por trilhos e estações, e o telégrafo e a navegação a vapor (substituindo os antigos veleiros) diminuíam as distâncias entre os países, estabelecendo o começo dos sistemas de transportes e comunicações que conhecemos hoje.

Nas fábricas, a disseminação das máquinas modificava os padrões de produção industrial e se fazia acompanhar de novas relações sociais. Ao mesmo tempo, isso pressionava pela criação de novos mercados consumidores, para absorver a quantidade e variedade do que estava sendo produzido, e exigia grandes quantidades de matéria-prima (muitas vezes vinda de outros países e outros continentes) para alimentar a indústria.

Para a Grã-Bretanha vitoriana, esse mundo que se tornava menor deveria ser necessariamente inglês: foi a época do apogeu do Império Britânico, onde o sol nunca se punha, com colônias que se multiplicavam em todos os continentes.

No ramo editorial, o uso das prensas a vapor facilitou a disseminação da informação e dos conhecimentos; multiplicaram-se os jornais, revistas e livros, dando início à publicação voltada para um mercado de massa. Esse fenômeno também se acentuava pelo fato de ocorrer numa sociedade mais alfabetizada do que qualquer outra anterior, com o desenvolvimento das escolas dominicais e a implantação do ensino público gratuito em 1870.

Mas foi também a época em que se aprofundaram a consciência da exploração do trabalho e a sensibilidade para as injustiças sociais. O colonialismo só começaria a desabar no século seguinte, com a Primeira Guerra Mundial, e a utopia socialista só iria transformar-se em revolução em 1917, na Rússia — mas o início de uma consciência democrática já é da época vitoriana, numa sociedade que

assistia ao desgaste da aristocracia e à valorização social de quem se fazia por si mesmo. Os efeitos de tudo isso sacudiam a rígida hierarquia social inglesa.

Portanto, o mundo sobre o qual Charles Dickens escreve não é apenas um mundo de mudanças,

O outro lado da prosperidade vitoriana. A Londres do século XIX tinha uma enorme população de miseráveis, que incluíam milhares e milhares de crianças órfãs ou abandonadas, personagens constantes na obra de Dickens

Numa cena famosa de Oliver Twist, *o herói pede mais sopa aos cruéis responsáveis pelo orfanato em que vive. O romance fez tanto sucesso que virou coqueluche: neste anúncio da época, o personagem quer é ganhar mais bombinhas...*

mas um mundo de muitos contrastes sociais e de riqueza mal distribuída. Alguns de seus romances mais famosos e significativos, como Oliver Twist *e* Tempos difíceis *(*Hard times*), mostram pungentes cenas de miséria na grande cidade. Eles denunciam o abandono em que viviam os meninos de rua, contam como as crianças iam se marginalizando e sendo exploradas por bandidos, como a violência estava por toda parte, como as condições das prisões eram trágicas. Sem dúvida, são circunstâncias muito semelhantes às que vivem hoje os países em desenvolvimento, ainda num processo de diminuir as desigualdades e garantir a plena cidadania a seus habitantes, assegurando-lhes os mesmos direitos fundamentais.*

Num imaginativo desenho da época, o escritor se vê rodeado por alguns de seus personagens – que eram muitas e muitas vezes mais numerosos do que mostra a figura!

O ofício de escritor

Para Dickens, uma das funções do escritor era despertar os leitores para a consciência da injustiça social e política e contribuir para o aprimoramento moral da sociedade. Nessa tarefa, os romances deviam ser otimistas, acabar bem, acenar com um mundo risonho onde aqueles males não existissem mais, provar que era possível ter esperança porque as coisas iam melhorar. Não por acaso, uma de suas obras-primas se chama Grandes esperanças *(*Great expectations*).*

Nem sempre era fácil combinar denúncia social e otimismo, os dois ingredientes dessa receita literária. E Dickens só conseguiu porque era uma coisa em que sinceramente acreditava. Queria retratar a realidade concreta que os leitores viam em volta de si, a cidade onde eles moravam, a sociedade em que viviam — e fez tudo isso de maneira admirável. Mas, ao mesmo tempo, foi fiel a suas crenças pessoais sobre o mundo, a suas verdades idealizadas sobre a experiência humana e aos pensamentos e emoções que brotavam de sua imaginação de autor.

Quando lemos os livros de Dickens, eles às vezes parecem um pouco ingênuos e simplistas. E até mesmo um tanto previsíveis, quando a gente já sabe como vão acabar, adivinha o que vai acontecer depois — o que é uma das piores coisas para um

Num tempo de grandes barreiras sociais, Dickens foi da pobreza à riqueza graças a muito suor e talento. O símbolo de seu sucesso financeiro era esta mansão, que ele conheceu como menino pobre e comprou já quarentão

escritor. Apesar disso, Dickens é inegavelmente um autor que sabe como tocar o leitor, transmitindo emoções e passando sua visão do mundo. Nisso está a força que o mantém vivo quase dois séculos depois de seu nascimento.

Dickens acreditava que outra função importante da literatura era distrair o leitor, diverti-lo, garantir o entretenimento. Em outras palavras: além de ser sincero, de expressar o que sentia e pensava, ele também sabia se comunicar muito bem. Por isso foi muito popular, como nenhum outro autor de seu país. Grande parte de sua obra foi publicada em capítulos mensais, em revistas ou jornais, como um seriado ou uma novela de televisão hoje em dia, e ele escrevia de um jeito tal que ninguém queria perder um capítulo. Quando Nicholas Nickleby, *provavelmente seu maior sucesso, estava sendo publicado, conta-se que era impossível travar qualquer conversa em Londres sem que todo mundo começasse a discutir*

o que estava acontecendo no romance e como eram os personagens.

E por falar em personagens... talvez seja esse o ponto mais forte do que Dickens escreveu. Ele criou figuras inesquecíveis, tão reais, tão verdadeiras, que acabavam ganhando vida própria. E não só porque o escritor sabia observar muito bem como era o exterior dos outros, descrever feições, roupas, manias, modos de andar, gestos, de uma maneira tal que o leitor até parecia mesmo conhecer o personagem. Dickens também sabia ver como eles eram por dentro, em seus pensamentos mais íntimos. E ainda conseguia retratar muito bem como eram os trabalhos deles, que instrumentos e ferramentas usavam, em que ambientes se movimentavam, que tipo de mobília havia em suas casas, que comida havia em suas mesas (e como era feita). Descrevia isso num estilo irônico e preciso, cheio de comparações divertidas e comentários satíricos. Lendo o que ele escreveu, damos muitos sorrisos e até algumas gargalhadas — e, ao mesmo tempo, aprendemos bastante sobre a época e sobre as pessoas em geral.

Uma ilustração clássica de As aventuras do sr. Pickwick, *feita para uma edição do começo do século XX. Escrito em 1837, o livro é ainda hoje uma leitura engraçadíssima, sendo um dos pontos altos do humor literário inglês*

SUMÁRIO

UMA HISTÓRIA DE NATAL

Uma história de Natal (*A Christmas carol*) foi a primeira de uma série de narrativas natalinas que Charles Dickens escreveu. Tal como alguns outros escritores e artistas, ele achava que o Natal estava se transformando muito com as mudanças que ocorriam na sociedade inglesa, e tinha medo de que as pessoas esquecessem como eram as celebrações e os festejos tradicionais dessa época do ano. Por isso, junto com outros, ele se dedicou ao projeto consciente de não deixar que essa festa morresse.

A história foi escrita em outubro e novembro de 1843 e publicada em dezembro. De todos os enredos de Dickens, este talvez seja o que ficou mais conhecido. Foi traduzido para muitas línguas e adaptado para teatro, cinema, televisão e desenho animado. Existe até uma versão Disney, em que o Tio Patinhas vive o papel do famoso unha de fome Ebenezer Scrooge e o sobrinho do protagonista é o Donald. (Aliás, o nome inglês do Tio Patinhas é Uncle Scrooge.)

O escritor inglês G. K. Chesterton certa vez definiu *Uma história de Natal* como “um sonho filantrópico”, e não deixa de ter razão. Por um lado, trata-se mesmo de uma espécie de sonho — ou pesadelo — em que o personagem viaja por tempos e lugares diferentes, numa atmosfera às vezes aterrorizante, às vezes melancólica, mas sempre interrompida por intromissões nítidas da realidade, descrita de forma bastante viva. Por outro lado, é inegável que o clima enevoado e algo macabro das atividades noturnas de Scrooge em companhia dos fantasmas não impede que o livro seja atravessado pelo ar festivo de uma grande comemoração de

Natal, toda colorida e decorada, ao som de sinos e música, onde se come, dança e brinca em meio a uma alegria genuína, de quem se diverte com a família e os amigos.

Pintando com tintas cor-de-rosa o cinzento do pesadelo, fica evidente que Dickens atinge seu duplo objetivo. Ele exalta o Natal, defende sua celebração, faz um apanhado das diversas formas de contentamento e felicidade que acompanham a data — nos diversos ambientes dos diferentes meios sociais que mostra, cada um com seus próprios recursos, seu próprio tipo de festejo, cada um se divertindo como bem entende. E, ao mesmo tempo, denuncia insistentemente os riscos do anti-Natal, mostra como a indiferença passa a ser uma forma de crueldade, alerta para os males do egoísmo e da mesquinharia, para a infelicidade da solidão. Do equilíbrio entre esses dois aspectos, acabou surgindo uma obra de apelo universal, válida para sociedades muito distantes da vitoriana e lida com prazer em qualquer época do ano.

A. M. M.

UMA HISTÓRIA DE NATAL

PREFÁCIO

Neste pequeno livro fantástico, tentei despertar o Fantasma de uma Ideia, que não deixe meus leitores de mau humor com eles mesmos, uns com os outros, com a época do ano, nem comigo. Que ele possa assombrar suas casas de maneira agradável, e que ninguém queira expulsá-lo.

De seu Criado e Amigo Fiel,

C.D.

Dezembro de 1843

I

O fantasma de Marley

Marley estava morto — para começar. Sem dúvida alguma. O registro do enterro estava assinado pelo clérigo, pelo escrivão, pelo agente funerário e pelo homem que encabeçava o cortejo fúnebre. Scrooge também assinou. E a assinatura de Scrooge valia ali tanto quanto na Bolsa, em qualquer coisa em que ele quisesse pôr as mãos. O velho Marley estava mortinho da silva.

Atenção! Com isso não estou querendo dizer que eu saiba, que tenha conhecimentos próprios, sobre o que há de particularmente morto numa da silva. Para mim, silva lembra uma espécie de selva, local de coisas silvestres e selvagens, e de minha parte me inclinaria a considerá-la como um lugar especialmente cheio de vida. Mas a sabedoria de nossos ancestrais inventou essa expressão e não está em minhas pobres mãos o poder de perturbá-la, ou então coisas assim acabam liquidando o país. Portanto, permitam-me que repita, com ênfase, que Marley estava mortinho da silva.

Scrooge sabia que ele estava morto? Claro que sabia. Como podia não saber? Scrooge e ele foram sócios por não sei quantos anos. Scrooge era seu único executor testamentário, seu único administrador, seu único procurador, seu único herdeiro, seu único amigo, e o único a chorar por ele. Mas mesmo Scrooge não ficou tão abalado pelo triste acontecimento ao ponto de esquecer que era, antes de mais nada, um excelente homem de negócios e, no próprio dia do funeral, celebrou-o conseguindo uma ótima e certeira pechincha.

A menção ao funeral de Marley me traz de volta ao ponto de partida. Não há nenhuma dúvida de que Marley estava morto. Isso deve ficar entendido de maneira bem clara. Senão, não virá nada de maravilhoso da história que eu vou contar. Se não estivéssemos perfeitamente convencidos de que o pai de Hamlet morrera antes de a peça começar, não haveria nada demais em que ele estivesse passeando de noite, pelo

alto das muralhas de seu próprio castelo, recebendo o vento do leste, como qualquer outro senhor de meia-idade que sai depois que escurece para dar uma voltinha e tomar ar fresco em qualquer lugar de brisa agradável — como no cemitério da catedral de Saint Paul, por exemplo —, nada que pudesse, literalmente, espantar a mente fraca de seu filho.

Scrooge nunca mandou apagar o nome do velho Marley. Lá estava ele, anos depois, pintado em cima da porta da loja: Scrooge e Marley. A firma era conhecida como Scrooge e Marley. Quem era novo no negócio às vezes chamava Scrooge de Scrooge, às vezes chamava de Marley. Ele respondia do mesmo jeito. Para ele, dava no mesmo.

Ah! Mas esse Scrooge era um mão-fechada, se era! Um velho avarento, mesquinho, sovina, somítico, unha de fome, pão-duro. Um coração de pedra, de onde jamais saíra uma faísca generosa. Secreto e trancadão, fechado e solitário como uma ostra. O frio dentro dele gelava suas feições velhas, afilava seu nariz pontudo, chupava seu rosto, endurecia seu andar, avermelhava seus olhos, azulava seus lábios finos e falava agudo em sua voz rascante. Havia uma moldura de gelo em sua cabeça, em suas sobrancelhas, em seu queixo de fios espetados. Para onde ia, levava sua temperatura glacial. Gelava o escritório nos dias de calor. E não derretia nem um grau na época do Natal.

O frio ou o calor externos tinham muito pouca influência sobre Scrooge. Nenhum calor podia aquecê-lo, nenhum tempo de inverno era capaz de refrescá-lo. Nenhum vento que soprasse conseguia ser mais cortante do que ele, nenhuma neve que caísse podia ser mais constante em sua determinação, nenhuma chuva torrencial era mais ameaçadora. O tempo ruim não tinha por onde pegá-lo. A chuva, a neve, o granizo ou o gelo mais fortes só podiam se gabar de levar vantagem sobre ele em uma coisa: muitas vezes eram bonitos quando caíam. Scrooge nunca era.

Ninguém jamais o fazia parar na rua com um olhar alegre e a pergunta:

— Meu querido Scrooge, como vai? Quando é que você aparece para me visitar?

Nenhum mendigo implorava dele um trocado, nenhuma criança lhe perguntava que horas eram, nenhum homem ou mulher, nem uma vez sequer em toda sua vida, lhe perguntou como é que se ia a um lugar assim-assim. Até os cachorros dos cegos pareciam conhecê-lo. Quando viam que ele se aproximava, metiam-se com os donos pela primeira porta que houvesse ou entravam em qualquer quintal. Depois, abanavam o rabo, como se dissessem:

— É melhor não ter olho nenhum do que ter mau-olhado, senhor...

Mas que importava isso a Scrooge? Era bem como ele queria. Cortar seu caminho pelo meio das estradas apinhadas da vida, avisando a qualquer simpatia humana para manter distância. Quem o conhecia, garantia que essa era a grande alegria de Scrooge.

Uma vez — e, de todos os dias do ano, era justamente a véspera de Natal —, o velho Scrooge estava sentado em seu escritório, ocupado. O tempo estava horrível, frio, cortante, tudo tomado pela neblina. Dava para ouvir lá fora as pessoas atravessando o beco ao lado, enquanto batiam com as mãos no peito ou pisavam com força as pedras do calçamento para se aquecer. Os relógios da cidade tinham acabado de bater três horas. Mas já estava escuro. Não chegara a estar claro o dia todo. Pelas janelas dos escritórios vizinhos, dava para perceber velas acesas por toda parte, como manchas vermelhas no ar castanho e palpável. O nevoeiro se derramava por todas as frestas e buracos de fechadura, e era tão denso lá fora que, embora o beco fosse estreito, as casas do outro lado pareciam vultos fantasmagóricos. Ao ver aquela nuvem espessa baixando e escurecendo tudo, qualquer um acharia que a Natureza morava ao lado e estava fazendo cerveja em larga escala, exalando todo aquele vapor.

A porta do escritório de Scrooge estava aberta, para ele poder ficar de olho em seu empregado, que num cubículo mínimo mais adiante, como se estivesse trancado num tanque, copiava cartas. Scrooge tinha um pequeno aquecedor aceso, mas o do empregado era tão menor que parecia fogo de um só carvão. Mas não podia alimentá-lo, porque Scrooge guardava a caixa de carvão em seu próprio escritório e, toda vez que o empregado entrava lá com a pá, o patrão sugeria que ele devia sair. Portanto, o escriturário tratava de se comportar bem e se aquecer com a vela. Mas, não sendo um homem de muita imaginação, por mais esforços que fizesse não tinha bons resultados.

— Feliz Natal, tio! Deus o abençoe! — exclamou uma voz alegre.

Era a voz do sobrinho de Scrooge, que se aproximara tão depressa que esse fora o primeiro indício de sua presença.

— Bobagens! — disse Scrooge. — Disparates!

Estava tão aquecido, esse sobrinho de Scrooge, com a caminhada apressada pelo meio do nevoeiro e do frio, que ele brilhava, resplandecente. Seu rosto estava corado e bonito, seus olhos brilhavam, seu hálito exalava vapor.

— O Natal uma bobagem, tio?! — disse o sobrinho. — O senhor não pode estar falando sério.

— Estou — replicou Scrooge. — Feliz Natal! Que direito você tem de ser feliz? Que razão existe para você ser feliz? Pobre desse jeito...

— Se fosse assim — respondeu o sobrinho, contente — que direito o senhor tem de estar triste? Que razão para ficar tão ranzinza? Rico desse jeito...

Como Scrooge não conseguiu pensar em nenhuma resposta para dar bem depressa, no impulso do momento respondeu só com mais um:

— Bobagem!

Seguido de outro:

— Disparates!

— Não fique assim zangado, tio.

— E como posso deixar de me zangar, vivendo num mundo de doidos como este? — devolveu o tio. — Feliz Natal! Chega dessa história de Feliz Natal! O que é o Natal pra você, a não ser uma época de pagar contas sem dinheiro? Um momento de constatar que está um ano mais velho, e nem uma hora mais rico. Uma hora de dar um balanço nos livros de contabilidade e conferir cada item por uma dúzia de meses, vendo que nenhum deles deu lucro... Se eu pudesse, estabelecia no meu testamento que todo idiota que saísse por aí com esse "Feliz Natal" na ponta da língua devia ser fervido e misturado na massa de seu próprio pudim de Natal e enterrado com uma estaca de árvore de Natal atravessada no coração, isso sim!

— Tio! — exclamou o sobrinho.

— Sobrinho! — respondeu ele, severo. — Passe o Natal da maneira que quiser, mas deixe que eu passo da minha.

— Passar o Natal? O senhor não passa de jeito nenhum...

— Então permita que eu o deixe para lá — disse Scrooge. — E faça bom proveito dele. O bom proveito que sempre fez.

— Existem muitas coisas que eu aproveitei muito bem e não me deram lucro nenhum, posso lhe garantir — retrucou o sobrinho. — O Natal é só uma delas. Mas tenho certeza de que sempre pensei no Natal, quando ele chega (além da veneração devida a seu sagrado nome e sua origem santa, se der para separar), como um tempo bom. Uma época agradável, afetuosa, de perdão, de caridade. O único momento que eu conheço, no longo calendário do ano, em que homens e mulheres parecem abrir de boa vontade seus corações trancados e pensar nas pessoas que estão lá embaixo como se realmente todos fossem passageiros de um mesmo veículo em direção à sepultura, e não como outra raça de criaturas que faz uma viagem diferente. É por isso, tio, que muito embora o Natal nunca tenha posto uma migalha de ouro ou prata no meu bolso, eu acredito que ele me fez muito bem, me deu muita coisa, e vai continuar dando. Se Deus quiser!

O escriturário, sem querer, aplaudiu. Imediatamente percebeu que aquilo não era adequado e tratou de disfarçar, mexendo no fogo e apagando de uma vez seu último calorzinho.

— Se eu ouvir mais um som de sua parte — ralhou Scrooge —, você vai ganhar o desemprego de presente de Natal.

Virando-se para o sobrinho, acrescentou:

— O senhor é um excelente orador, não sei como é que não se elege para o Parlamento.

— Não se zangue, tio, deixe disso! Vamos! Venha cear conosco amanhã.

Scrooge disse que preferia encontrá-lo no... Disse mesmo. Foi até o fim do xingamento e disse que preferia se encontrar com ele no inferno.

— Mas por quê? — insistiu o sobrinho de Scrooge. — Por quê?

— Por que você se casou? — foi a resposta.

— Porque estava apaixonado.

— Porque estava apaixonado! — resmungou Scrooge, como se essa fosse a única coisa do mundo ainda mais ridícula do que um Feliz Natal. — Boa tarde!

— Mas, tio, de qualquer modo o senhor nunca veio me visitar antes do meu casamento... Por que agora diz que essa é a razão para não vir?

— Boa tarde! — repetiu Scrooge.

— Eu não quero nada seu, não estou lhe pedindo nada. Por que não podemos ser amigos?

— Boa tarde!

— Sinto muito, do fundo do coração, que o senhor esteja tão determinado. Nunca tivemos a menor discussão, nem nos zangamos, pelo menos por nada de minha parte. E eu aturei tudo isso em homenagem ao Natal. Por isso vou manter meu bom humor até o fim. Feliz Natal, tio!

— Boa tarde!

— E feliz Ano-Novo!

— Boa tarde!

Apesar de tudo, o sobrinho saiu da sala sem uma palavra zangada sequer. Parou na porta da rua para desejar boas-festas ao empregado, que, por mais que estivesse no frio, era mais cálido que Scrooge e retribuiu calorosamente.

— É outro maluco — murmurou Scrooge, que ouviu a cena. — Meu empregado, ganhando quinze xelins por semana, com mulher e família para sustentar, falando em Feliz Natal... Desse jeito, quem vai acabar no hospício sou eu.

Aquele lunático, ao abrir a porta para que o sobrinho de Scrooge saísse, deixou duas outras pessoas entrarem. Eram dois cavalheiros imponentes, de boa aparência, que agora estavam de pé, com os chapéus na mão, no escritório de Scrooge. Seguravam livros e papéis e cumprimentaram com respeito.

— Scrooge e Marley, suponho — disse um deles, consultando sua lista. — Tenho o prazer de me dirigir ao senhor Scrooge ou ao senhor Marley?

— O senhor Marley está morto há sete anos — respondeu Scrooge. — Morreu há sete anos, exatamente esta noite.

— Não duvidamos que sua generosidade esteja bem representada por seu sócio sobrevivente — disse o cavalheiro, apresentando suas credenciais.

E ela certamente estava, pois ambos haviam tido temperamentos iguais. Ao ouvir a palavra "generosidade", Scrooge amarrou a cara, sacudiu a cabeça e devolveu a papelada.

— Nesta época festiva do ano, senhor Scrooge — disse um dos cavalheiros, pegando uma caneta —, é ainda mais desejável do que em outras que se faça alguma contribuição para os pobres e carentes, que sofrem muito hoje em dia. Milhares de pessoas não têm condições de satisfazer as suas necessidades mais elementares. Centenas de milhares não têm como viver com um conforto mínimo, senhor.

— Mas não há prisões?

— Há, e muitas — respondeu o cavalheiro, pousando novamente a caneta na mesa.

— E as casas de trabalho forçado? — perguntou Scrooge. — Ainda estão funcionando?

— Ainda estão — confirmou o senhor. — Quem dera eu pudesse dizer que não estão...

— E o moinho aonde os vadios são levados para trabalhar? E a lei contra os mendigos? Não estão mais em vigor?

— Estão, sim, e muito ativos.

— Ah, bom.... Do jeito que o senhor falou, eu até pensei que tinha acontecido alguma coisa para impedir o seu funcionamento tão útil... — disse Scrooge. — Fico contente em saber que estão bem.

— Convencidos de que eles têm muito pouco a oferecer em termos de um alívio cristão para os corpos ou as mentes das multidões — continuou o cavalheiro —, alguns de nós estamos organizando um fundo para levantar recursos que permitam que os pobres possam comprar um pouco de carne e algo para beber e tenham meios de se aquecer. Escolhemos esta época do ano porque, de todos os momentos, é justamente aquela em que a Necessidade mais se faz sentir e a Abundância mais se alegra em dividir. Que quantia devo anotar aqui junto ao seu nome, como contribuição?

— Nada! — replicou Scrooge.

— Ah, o senhor não quer que seu nome apareça? Prefere permanecer anônimo?

— Prefiro que me deixem em paz — falou Scrooge. — Já que o senhor se interessa em saber minhas preferências, essa é a minha resposta. Eu não me divirto nem fico feliz no Natal. E não posso me dar ao luxo de ficar divertindo os preguiçosos nem fazendo a felicidade dos vadios. Contribuo para o sustento dos estabelecimentos que já mencionei. E eles custam bastante. Quem estiver passando necessidade pode procurar um deles.

— Muita gente não pode. E muita gente preferia morrer a ter que recorrer a um lugar desses.

— Pois, se preferem, então que morram... Ajuda a diminuir o excedente populacional — disse Scrooge. — Além do mais, o senhor me desculpe, nunca soube disso...

— Pois devia saber — observou o senhor.

— Não é da minha conta. Já basta que um homem se ocupe de seus assuntos e seus negócios e não se meta com os outros. Os meus ocupam todo o meu tempo. Boa tarde, senhores, e passem bem!

Compreendendo que seria absolutamente inútil continuar a insistir, os dois senhores se retiraram. Scrooge voltou ao trabalho ainda mais satisfeito consigo mesmo e com mais animação do que de costume.

Enquanto isso, o nevoeiro e a escuridão estavam ficando tão mais densos que apareceram algumas pessoas com archotes pelas ruas, oferecendo seus serviços para mostrar o caminho a quem estava a cavalo ou em carruagens. A velha torre de uma igreja, cujo sino velho estava sempre olhando com superioridade para Scrooge por uma velha janela gótica, ficou invisível e deu as horas dentro das nuvens, reverberando em vibrações trêmulas, como se estivesse batendo os dentes em sua cabeça gelada lá em cima.

O frio piorou. Na esquina da rua principal, operários que estavam consertando a tubulação de gás tinham acendido fogo num braseiro, e logo se reuniu em volta uma pequena multidão de homens e meninos esfarrapados, que esquentavam as mãos e piscavam os olhos, deliciados. A bica da fonte pública, deixada sozinha, congelou uma gota que queria pingar e virou uma bolha de gelo solitário. O brilho das lojas acesas, com ramos de azevinho e cerejinhas decorando as vitrines iluminadas, avermelhava as faces pálidas dos passantes. As mercearias pareciam uma festa gloriosa, e não dava para acreditar que princípios tão sem graça como compra, venda e pechincha tinham qualquer coisa a ver com elas. O senhor prefeito, na fortaleza de sua poderosa prefeitura, dava ordens a cinquenta cozinheiros e mordomos, para garantir que o Natal fosse comemorado com toda a pompa e fartura que um prefeito deve ter. E até o pobre alfaiatezinho que tinha sido multado na segunda-feira porque estava bêbado e com sede de sangue pelas ruas, batia a massa para fazer um bolo de Natal em sua mansarda, enquanto sua mulher magricela saía com o bebê para comprar carne.

E cada vez mais frio! E com mais neblina! Um frio cortante, que parecia morder e querer tirar pedaços. Se o bom são Dunstan, padroeiro dos ferreiros, tivesse enfrentado o diabo com um frio desses no nariz dele, em vez de usar as armas com que estava acostumado, aí é que teria feito o capeta gritar.

O dono de um jovem nariz gelado, mordido pelo frio faminto como os ossos são mordidos por cachorros, parou junto à porta de Scrooge para presenteá-lo com um cântico de Natal. Mas logo aos primeiros sons de:

Deus o abençoe, alegre cavalheiro!
Que nada o desanime!

Scrooge agarrou a régua com tanta energia que o cantor fugiu aterrorizado, deixando a porta, entregue à neblina e ao frio, bem mais acolhedores que o dono da casa.

Até que acabou chegando a hora de fechar o escritório. De má vontade, Scrooge desceu de seu tamborete alto e tacitamente admitiu o fato para o empregado, que esperava ansioso e tratou de soprar a vela e botar o chapéu na cabeça.

— Imagino que amanhã você vai querer folgar o dia todo, não é? — perguntou Scrooge.

— Se for da sua conveniência, senhor...

— Claro que não é da minha conveniência. E não é justo. Se eu descontasse meia-coroa do seu salário, você ia achar que era um abuso, não é mesmo?

O empregado deu um sorrisinho amarelo.

— Entretanto — prosseguiu Scrooge —, não acha que está abusando de mim quando me faz pagar um dia de salário sem que você trabalhe.

O empregado observou que tal fato só acontecia uma vez por ano.

— Uma desculpa muito esfarrapada para meter a mão no dinheiro de um homem a cada 25 de dezembro! — exclamou Scrooge, abotoando o sobretudo até o queixo. — Mas sei que não tem jeito, e você tem que folgar o dia todo... Trate de chegar bem cedo na manhã seguinte!

O coitado prometeu, e Scrooge saiu, resmungando. Num instante o escritório estava fechado, e o empregado, com as longas pontas do cachecol branco balançando abaixo da cintura (pois não podia se gabar de possuir um sobretudo), comemorou deslizando vinte vezes num escorrega de crianças em Cornhill, em honra da véspera de Natal, antes de ir correndo para casa em Camden Town, brincar de cabra-cega.

Scrooge comeu um jantar melancólico na sua taverna melancólica de sempre. Depois de ler todos os jornais e dedicar o resto da noite a conferir sua caderneta do banco, foi para casa dormir. Morava em aposentos que tinham pertencido a seu falecido sócio. Era uma sequência de quartos sombrios, num prédio esquecido, no fundo de um pátio. Não tinha nada a ver com as construções vizinhas. Dava até para imaginar que o prédio tinha corrido para lá quando ainda era uma casa-criança, brincando de esconder com as outras casas, e tinha esquecido o caminho de volta, ficando lá para sempre. Agora já era bem velho, e meio soturno, porque mais ninguém morava lá, a não ser Scrooge, e todas as outras salas eram alugadas para escritórios. O pátio estava tão escuro que até mesmo Scrooge, que conhecia cada pedra do caminho, tinha que ir tateando com as mãos. A neblina e a geada tomavam conta da entrada de tal maneira que parecia que o Gênio do Tempo resolvera se sentar no portal para alguma meditação lúgubre.

Bom, a realidade é que não havia nada de especial com a aldraba da porta, a não ser o fato de que era muito grande. E também era verdade que Scrooge a tinha visto sempre, toda noite e toda manhã, desde que residia naquele lugar. E também que Scrooge era um homem tão desprovido do que se chama fantasia quanto qualquer homem do centro financeiro de Londres, incluindo até mesmo — o que não é pouco — as corporações, os vereadores e os eleitores. E não devemos esquecer que Scrooge não dedicara um único pensamento à memória de Marley desde a menção que fizera de tarde ao sócio morto havia sete anos.

Isso posto, gostaria que qualquer um me explicasse, se puder, como aconteceu que Scrooge, ao enfiar a chave na fechadura, tenha visto na aldraba, sem que ela tivesse passado por nenhum processo intermediário de mudança, não uma aldraba, mas o rosto de Marley.

O rosto de Marley. Não era uma sombra impenetrável, como os outros objetos no pátio, mas tinha em si uma luz sombria e atraía a atenção como uma lagosta podre num porão escuro. Não estava zangado nem feroz, mas olhava para Scrooge como Marley costumava olhar: com uns óculos fantasmagóricos apoiados no alto da testa fantasmagórica. O cabelo se mexia de um modo curioso, como se estivesse respirando ou exalasse um bafo quente. E, embora os olhos estivessem bem abertos, estavam absolutamente imóveis. Isso, e mais a cor lívida, fazia a cara toda ser uma visão horrível. Mas parecia ser um horror que existia apesar do rosto, e fora de seu controle, e não como uma parte da sua própria expressão.

Scrooge olhou fixamente para esse fenômeno e ele voltou a ser novamente uma aldraba.

Seria falso dizer que ele não se espantou, ou que seu sangue não teve consciência de uma sensação que lhe era estranha desde a mais tenra infância. Mas pôs a mão na chave que tinha enfiado na fechadura, girou-a com firmeza, entrou em casa e acendeu a vela.

Chegou a se deter, num momento de hesitação, antes de fechar a porta, e a olhar atrás dela com cuidado, antes disso, como se estivesse quase esperando ser aterrorizado pela visão do rabo de cavalo de Marley espetado para dentro do vestíbulo de entrada. Mas não havia nada do outro lado da porta, exceto as porcas dos parafusos que prendiam a aldraba. Por isso ele exclamou:

— Xô! Xô!

E bateu a porta.

O barulho ressoou pela casa toda, como um trovão. Cada quarto lá de cima e cada barril nas adegas do vendedor de vinhos no porão pareciam ter sua própria série de ecos, separados. Scrooge não era homem de se assustar com eco. Trancou a porta, atravessou o vestíbulo e subiu as escadas devagar, protegendo a vela.

Pode-se falar vagamente em uma escada tão ampla que daria passagem para uma carruagem puxada por seis cavalos. Mas o que eu quero dizer é que daria para levar um caixão atravessado por aquela escada, com a cabeça para a parede e os pés para a balaustrada, e ainda sobraria lugar. Era mesmo muito larga. Talvez tenha sido por isso que Scrooge viu um carro fúnebre que resfolegava e subia à sua frente, na escuridão. Meia dúzia de lampiões de gás na rua não podiam iluminar bem a entrada, e dá para imaginar que devia ser bem escuro por ali.

Mas ele nem ligou e continuou subindo. A escuridão não custa caro, e Scrooge gostava. Mas, antes de fechar a porta pesada, caminhou pelos seus aposentos para ver se tudo ia bem. Lembrava-se ainda muito bem do rosto lá embaixo, o suficiente para lhe dar vontade de fazer essa vistoria.

Sala de estar, quarto de dormir, depósito de lenha... Todos como deviam estar. Ninguém debaixo da mesa, ninguém atrás do sofá. Um fogo fraco aceso na lareira. Colher e tigela prontos. E um pequeno caldeirão de sopa de aveia (Scrooge estava com um começo de resfriado)

pendurado em cima do fogo. Ninguém debaixo da cama, ninguém dentro do armário, ninguém metido dentro do seu camisolão de dormir, pendurado numa atitude suspeita junto à parede. Depósito de lenha normal. Grade de lareira velha, sapatos velhos, dois cestos de pescaria, tina de lavar roupa no seu tripé e um atiçador de fogo.

Satisfeito, fechou a porta e se trancou em casa. Com tranca dupla, coisa que não costumava fazer. Assim garantido contra qualquer surpresa, tirou a gravata, vestiu o camisolão e a touca de dormir, calçou os chinelos e se sentou diante do fogo para tomar a sopa.

Era um fogo realmente muito baixo, não valia nada numa noite gelada como aquela. Era necessário se sentar bem perto mesmo e se curvar sobre ele, para conseguir extrair alguma sensação de calor daquele punhadinho de combustível. A lareira era antiga, construída por algum mercador holandês havia muito tempo, e toda forrada de azulejos holandeses, com ilustrações de cenas das Escrituras. Havia Cains e Abéis, filhas de faraó, rainhas de Sabá, mensageiros angélicos que desciam dos céus em nuvens que pareciam camas de penas, Abraãos, Baltazares, apóstolos saindo para o mar em barcos rasos, centenas de figuras para atrair seus pensamentos. E, no entanto, o rosto de Marley, morto havia sete anos, surgiu do nada, como a vara do antigo profeta, e engoliu tudo. Se cada azulejo inicialmente fosse liso e branco, com o poder de dar forma em sua superfície aos fragmentos desconjuntados de seus pensamentos, haveria uma cópia da cabeça do velho Marley em cada um.

— Mas que bobagem! — exclamou Scrooge e começou a caminhar pelo quarto.

Depois de várias voltas, sentou-se de novo. Quando jogou a cabeça para trás na cadeira, seu olhar bateu por acaso num sininho velho e fora de uso que ficava pendurado no quarto e se comunicava, com alguma finalidade agora totalmente esquecida, com um quartinho que ficava no andar mais alto do edifício. Foi com grande espanto, e com um temor estranho e inexplicável, que, enquanto olhava, ele viu o pequeno sino começar a balançar. No começo era tão de leve que mal fazia barulho. Depois passou a soar bem alto, junto com todos os outros sinos da casa.

Isso podia ter durado meio minuto, ou um minuto. Mas parecia ter sido uma hora. Depois, os sinos pararam como tinham começado: juntos. Seguiu-se um barulho de ferros batendo, lá embaixo, como se alguém estivesse arrastando uma corrente pesada sobre os barris na adega do comerciante de vinho. Scrooge se lembrou de ter ouvido que se diz que os fantasmas nas casas assombradas costumam arrastar correntes.

A porta da adega se abriu com um estrondo, e ele ouviu o barulho ainda mais forte, nos andares de baixo. Depois, subindo as escadas. A seguir, caminhando em direção à sua porta.

— Mais bobagem ainda! Não vou acreditar — disse ele.

Mas sua cor mudou quando, sem fazer nenhuma pausa, o barulho passou através da porta pesada e entrou em sua própria sala, diante de seus olhos. Quando entrou, a chama que estava quase se apagando na lareira deu um salto como se exclamasse: "Eu sei quem é! O fantasma de Marley!" E caiu de novo.

O mesmo rosto. Exatamente o mesmo. Marley com seu cabelo preso atrás num rabicho, usando o colete, as calças justas e as botas de sempre. E as borlas de pele das botas, o rabo de cavalo, as abas do paletó e o cabelo da cabeça, tudo estava em pé, arrepiado. A corrente que arrastava era comprida, enrolava em sua cintura e continuava como se fosse uma cauda. Ao observá-la de perto, Scrooge percebeu que era formada de cofrinhos, cadeados, chaves, registros e bolsas pesadas, tudo feito de ferro. O corpo dele era transparente. Dava para olhar através do colete e distinguir os dois botões nas costas do casaco.

Várias vezes Scrooge ouviu dizer que Marley era um homem sem entranhas, mas só agora acreditava. Não, nem agora. Embora olhasse o fantasma com atenção, e o visse de pé à sua frente; embora sentisse a influência gelada de seus olhos que guardavam a frieza da morte; embora registrasse a própria textura de um lenço amarrado em torno do queixo e da cabeça, que não havia observado antes — ainda assim ele estava incrédulo e lutava contra o que seus sentidos lhe mostravam.

— E essa agora? — disse Scrooge, cáustico e frio como sempre. — Que é que você quer comigo?

— Muita coisa! — respondeu a voz de Marley, e não havia dúvida nenhuma.

— Quem é você?

— Pergunte quem eu era.

— Pois então, quem era você? — perguntou Scrooge, levantando a voz. — Você faz muita questão de exatidão, para quem é só uma sombra...

— Na vida, fui seu sócio, Jacob Marley.

— Você pode... pode se sentar? — quis saber Scrooge, olhando-o com ar de dúvida.

— Posso.

— Pois então, sente.

Perguntara porque não sabia se um fantasma tão transparente tinha condições de se instalar numa cadeira e achou que, no caso de haver essa impossibilidade, poderia ocorrer a necessidade de uma explicação embaraçosa. Mas o fantasma se sentou do outro lado da lareira, como se estivesse acostumado a fazer isso.

— Você não acredita em mim — observou o fantasma.

— Não acredito mesmo.

— E que provas você quer de minha realidade, além da evidência dos seus sentidos?

— Não sei.

— Por que você duvida dos seus sentidos?

— Porque basta uma coisinha à toa para afetá-los. Uma pequena desordem do estômago pode enganá-los. Você pode ser a consequência de um pedaço de carne mal digerido, um pedaço de batata meio crua, um grão de mostarda passado, uma migalha de queijo estragado.

Scrooge não costumava fazer piadas, nem estava achando graça, do fundo do coração, de jeito nenhum. Mas tentava se fazer de engraçado, para distrair sua própria atenção e diminuir o terror. Porque a verdade é que a voz do espectro o apavorava até a medula dos ossos.

Ficar algum tempo em silêncio, sentado diante daqueles olhos fixos e parados como vidro, era coisa do diabo, sentia Scrooge. Havia algo horrível, também, no fato de que o espectro era provido de sua própria atmosfera. O próprio Scrooge não a sentia, mas claramente era isso o que ocorria. Pois, embora o fantasma estivesse sentado, perfeitamente imóvel, seu cabelo, suas roupas, as borlas penduradas nas botas, tudo se agitava como se estivesse no vapor quente de um forno.

— Está vendo este palito? — perguntou Scrooge, voltando à carga, pela razão assinalada, e desejoso de desviar de si o olhar pétreo da aparição, nem que fosse só por um instante.

— Estou — replicou o espírito.

— Mas você não está olhando.

— Não importa — disse o fantasma. — Vejo do mesmo jeito.

— Ora, bolas! — respondeu Scrooge. — Não vá me dizer que agora eu vou ter que engolir isso e ainda passar o resto dos meus dias sendo perseguido por uma legião de diabinhos que eu mesmo criei... É tudo uma bobajada, estou dizendo! Uma grande bobagem...

Ouvindo isso, o espírito deu um grito assustador e sacudiu as correntes com um barulho tão tétrico e apavorante que Scrooge se segurou firme na cadeira para não desmaiar. Mas seu horror ainda foi muito maior quando o fantasma tirou a atadura em volta do queixo, como se estivesse muito quente dentro de casa e não precisasse dela, e então sua mandíbula inferior caiu até o peito!

Scrooge se jogou de joelhos no chão, de mãos postas diante da cabeça, exclamando:

— Piedade! Piedade! Por que você veio me assombrar, sua aparição terrível?

— Homem de mente mundana — replicou o espírito —, você acredita em mim ou não?

— Acredito, acredito, tenho que acreditar. Mas por que os espíritos estão caminhando pela terra? E por que vêm me visitar?

O fantasma explicou:

— Exige-se de todo e qualquer homem que o espírito dentro dele ande pelo meio de seus semelhantes e se expanda, vá bem longe. Mas, se o espírito não for para a frente em vida, está condenado a seguir adiante depois da morte. Sua sina é vagar pelo mundo (ah, pobre de mim!) e testemunhar coisas que não pode mais viver, mas que podia ter aproveitado em sua vida e ter transformado em felicidade...

Mais uma vez o fantasma deu um grito lancinante, sacudiu as correntes e torceu suas mãos de sombra.

— Você está acorrentado — disse Scrooge, tremendo. — Posso saber por quê?

— Estou preso às cadeias que forjei em vida — replicou o fantasma. — Fiz cada elo dessa corrente, cada metro de suas voltas. Eu a enrolei em torno da cintura por minha própria vontade. E por minha própria vontade a arrasto por toda parte. Ela lhe parece estranha? Não a reconhece?

Scrooge cada vez tremia mais.

— Ou será que preferia saber o peso e o comprimento da sua corrente forte, da que você mesmo carrega? Posso lhe dizer que, há sete Natais, era tão pesada e comprida como esta. Mas, de lá para cá, você tem feito tudo o que pode para ela ficar mais pesada e mais comprida. Hoje em dia, é uma corrente impressionante!

Scrooge olhou em volta, procurando pelo chão, na expectativa de se descobrir cercado por uns cinquenta ou sessenta metros de ferro forjado. Mas não conseguia ver nada. Implorou:

— Jacob, meu velho Jacob Marley, me conte mais coisas. E me diga algumas palavras de consolo, Jacob!

— Não tenho nenhum consolo para dar — respondeu o fantasma. — O consolo vem de outras paragens, Ebenezer Scrooge, e é transmitido por outro tipo de mensageiro, a outro tipo de homem. Nem mesmo posso lhe contar tudo o que desejaria. Só um pouco mais, me permitem muito pouco. Eu não posso descansar, não posso ficar, não posso me deter em lugar nenhum. Em vida, meu espírito nunca foi além de nosso escritório, nunca andou mais longe do que os negócios que fazíamos, nunca foi além dos limites estreitos do guichê do nosso caixa, onde recebíamos dinheiro. Agora, ai de mim!, ai de mim!, tenho viagens compridíssimas à minha frente.

Scrooge tinha o hábito de pôr as mãos nos bolsos das calças sempre que ficava pensativo. Fez isso agora, enquanto refletia sobre o que o fantasma lhe dissera, mas continuou ajoelhado e não olhou para cima.

— Você deve ter se atrasado, Jacob — observou Scrooge, ainda humilde e respeitoso, mas com um ar de quem estava tratando de negócios.

— Atrasado?! — repetiu o fantasma.

— É... morto há sete anos e viajando o tempo todo?

— O tempo todo. Sem descanso, sem paz. Com a tortura incessante do remorso.

— E você viaja depressa?

— Nas asas do vento.

— Podia ter percorrido uma boa distância em sete anos — disse Scrooge.

Ao ouvir isso, o fantasma deu outro grito e sacudiu tanto as correntes, de um jeito tão pavoroso, no meio do silêncio da noite, que a polícia teria tido toda razão se resolvesse processá-lo por perturbar a ordem pública.

— Ah, cativo, preso, duplamente acorrentado... — gritou. — E sem saber quantos séculos de trabalho incessante das criaturas imortais por esta terra vão precisar se converter em eternidade antes que se desenvolva o bem de que ela necessita. Sem saber que qualquer espírito cristão que aja com bondade em sua pequena esfera, seja ela qual for, descobrirá que sua vida mortal é curta demais para seus recursos tão vastos de utilidade. Sem saber que não há remorso que pague as oportunidades desperdiçadas na vida... No entanto, era assim que eu era.... Assim mesmo...

— Mas você sempre foi um ótimo homem de negócios, Jacob... — gaguejou Scrooge, que agora começava a aplicar a si mesmo tudo o que estava ouvindo.

— Negócios?! — gritou o fantasma, torcendo as mãos, de novo. — O meu negócio devia ter sido a própria humanidade. O bem comum era meu negócio, e eu não sabia. A caridade, a misericórdia, a paciência e a benevolência, tudo isso era meu negócio, e eu nem desconfiava. Os assuntos do meu escritório eram só uma gota de água no vasto oceano dos meus negócios...

Levantou as correntes com os braços esticados, como se elas fossem a causa de seu sofrimento indescritível, e depois deixou que caíssem novamente no chão.

— E, nesta época do ano, sofro ainda mais — disse o espectro. — Como pude caminhar em meio a multidões de meus semelhantes sem olhar para eles? Como é que nunca levantei os olhos para ver a Estrela Sagrada que conduziu os Reis Magos a uma pobre manjedoura? Como se não existissem moradias paupérrimas em número suficiente, aonde sua luz poderia ter me conduzido...

Scrooge ficou muito aflito, vendo o espectro se lamentar dessa maneira, e começou a tremer muito.

— Ouça-me! — exclamou o fantasma. — Meu tempo está quase acabando.

— Ouço, claro. Mas não seja duro demais comigo... Tente não exagerar, por favor, Jacob!

— Como é que pude aparecer à sua frente com uma forma que você pode ver, é algo que não posso dizer. Muitos dias e muitas noites me sentei ao seu lado sem que você percebesse.

Não era uma ideia agradável. Scrooge teve um calafrio e enxugou o suor da testa.

— E isto não é uma parte leve de minha pena — prosseguiu o fantasma. — Estou aqui esta noite para lhe avisar que você ainda tem uma chance, uma esperança de escapar a meu terrível destino, Ebenezer.

— Você sempre foi meu amigo... Obrigado.

— Você vai ser visitado por três espíritos... — continuou o fantasma.

Scrooge ficou quase tão lívido quanto ele.

— É essa a chance? A esperança de que você falou, Jacob? — perguntou, numa voz quase sumida.

— É...

— Acho que... que prefiro não ter... chance nenhuma... — gaguejou ele.

— Sem a visita deles — prosseguiu o fantasma —, não há nenhuma esperança de que você consiga evitar o caminho que estou trilhando. Espere o primeiro amanhã, quando bater a primeira hora.

— Não dá para eles virem todos juntos e eu acabar com isso de uma vez, Jacob? — sugeriu Scrooge.

— Espere o segundo na noite seguinte, à mesma hora. E o terceiro na outra, quando tiver acabado de vibrar a última badalada da meia-noite. Não espere me ver novamente, mas, para seu próprio bem, trate de se lembrar de tudo o que se passou entre nós.

Após dizer essas palavras, o espectro pegou o lenço que pousara em cima da mesa e o amarrou de novo em volta da cabeça, como antes. Scrooge percebeu isso, pelo som que os dentes fizeram quando foram reunidos pela bandagem. Só então se aventurou a erguer novamente os olhos e viu seu visitante sobrenatural parado à sua frente em atitude ereta, com a corrente suspensa e enrolada no braço.

A aparição andou para trás. A cada passo que dava, a janela se erguia um pouco, sozinha. Quando o espectro a alcançou, estava totalmente aberta. Então ele fez sinal para que Scrooge se aproximasse, e este obedeceu. Quando estavam apenas a dois passos de distância, o fantasma de Marley levantou a mão, avisando para não chegar mais perto. Scrooge parou.

Não tanto por obediência, mas por espanto e medo. A partir daquela mão levantada, percebia barulhos confusos no ar. Sons incoerentes de lamento e remorso. Uivos de autoacusação, carregados de um sofrimento impossível de expressar.

Após ouvi-los por uns instantes, o espectro se juntou ao coro de lamentações e saiu flutuando até desaparecer na noite lúgubre e escura.

Desesperado de curiosidade, Scrooge foi até a janela e olhou para fora.

O ar estava cheio de aparições, vagando de um lado para outro, com pressa, e se lamentando sem parar. Todos usavam correntes, como o fantasma de Marley. Alguns (talvez governos culpados) estavam acorrentados juntos. Nenhum estava livre. Muitos eram de pessoas que Scrooge conhecera em vida. Um velho fantasma, entre eles, lhe era especialmente familiar — vestido de colete branco, com um cofre de ferro imenso amarrado ao tornozelo, chorando de dar pena, por não poder ajudar uma pobre mulher miserável, com uma criança, que estava lá embaixo, tentando se abrigar no umbral de uma porta.

A desgraça de todos eles, claramente, era que queriam interferir para o bem em assuntos humanos e tinham, para sempre, perdido esse poder.

Não soube dizer se essas criaturas se dissolveram na neblina ou se a neblina as envolveu. Mas elas e suas vozes fantasmagóricas desapare-

ceram juntas. E a noite tornou a ficar como estava quando ele voltara para casa.

Scrooge fechou a janela e examinou a porta pela qual o fantasma tinha entrado. Estava com a tranca dupla, como ele mesmo a trancara com suas próprias mãos. Nada fora tocado. Tentou resmungar:

— Bobagem!

Mas nem passou da primeira sílaba. Fosse lá por que fosse, devido à emoção experimentada, ao cansaço do dia, ao que vira de relance no Mundo Invisível, à conversa tediosa com o fantasma ou ao adiantado da hora, sentia-se muito necessitado de repouso. Foi direto para a cama.

E, sem ao menos tirar a roupa, adormeceu no mesmo instante.

II

O primeiro dos três espíritos

Quando Scrooge acordou, estava tão escuro que, olhando da cama, mal dava para distinguir a janela transparente nas paredes opacas do quarto. Estava tentando furar a escuridão com seus olhos de fuinha quando os sinos de uma igreja da vizinhança bateram os quatro quartos de hora. Prestou atenção para contar quantas badaladas se seguiriam e poder distinguir a hora.

Para seu grande espanto, o sino pesado passou de seis para sete, de sete para oito, e foi continuando até as doze. Então parou. Doze! Tinha ido deitar depois das duas. O relógio devia estar errado. Talvez tivesse se formado um pouco de gelo dentro do mecanismo. Doze!

Tocou a corda de seu relógio, para que ele soasse e corrigisse o outro. Sua pulsação rápida marcou as doze. Depois parou.

— Não é possível! — disse Scrooge. — Não posso ter dormido tanto, um dia inteiro e metade da noite seguinte. O mais provável é que tenha acontecido alguma coisa com o sol e agora seja meio-dia.

A ideia era assustadora. Saiu da cama e se dirigiu, tateando, para a janela. Antes de conseguir ver qualquer coisa, teve que limpar a geada com a manga da roupa. E, mesmo assim, não dava para ver muito. Só podia distinguir que ainda havia muita neblina e estava extremamente frio. E não havia barulho de pessoas indo e vindo, ou fazendo grande alarido, como certamente haveria se a noite tivesse tomado o lugar do dia claro e se apossado do mundo. Sentiu grande alívio, porque nos seus incontáveis papéis e letras de câmbio estava escrito "três dias a partir desta data o Tesouro pagará ao senhor Ebenezer Scrooge ou à sua ordem a quantia de...", e, se não houvesse mais dias a serem contados, cada pedaço de papel não valeria mais nada.

Scrooge voltou para a cama e ficou pensando. Pensou, pensou, pensou, e não chegou a conclusão nenhuma. Quanto mais pensava, mais perplexo ficava. E, quanto mais tentava não pensar, mais pensava. O fantasma de Marley o perturbava muitíssimo. Cada vez que, dentro de si mesmo, depois de profunda reflexão, resolvia que tudo não passara de um sonho, sua mente dava um pulo novamente, como uma mola presa que se solta e retorna à posição inicial, e enfrentava de novo o mesmo problema a ser elaborado desde o início:

— Foi sonho ou não?

Scrooge ficou nesse estado até que os sinos bateram mais três quartos de hora, e então se lembrou repentinamente de que o fantasma o prevenira de uma visita quando fosse uma hora. Resolveu ficar acordado até passar esse momento. Considerando que a essa altura lhe era tão difícil ir dormir quanto ir para o Céu, talvez fosse mesmo a mais sábia resolução que poderia tomar.

Foi um quarto de hora tão comprido que mais de uma vez ele se convenceu de que devia ter cochilado sem sentir e não ouvira o relógio. Mas, finalmente, as badaladas soaram, nítidas, a seu ouvido atento.

— Dim! Dom!

— Um quarto de hora... — contou Scrooge.

— Dim! Dom!

— Meia hora — disse Scrooge.

— Dim! Dom!

— Outro quarto...

— Dim! Dom!

— Pronto, completou a hora. E se acabou! Não há mais nada!

Mas falou antes que soasse o outro sino, que dava as horas — justamente o que ele fez nesse momento, batendo UMA, num som oco, profundo, cheio e melancólico. No mesmo instante, uma luz forte inundou seu quarto, e as cortinas de sua cama foram puxadas.

Foram puxadas por uma mão. Não as cortinas do pé da cama, nem as que estavam às suas costas, mas exatamente as que estavam do lado para o qual ele estava virado. E Scrooge, levantando-se de sua posição recostada, deu de cara com o visitante do outro mundo. Tão perto quanto nós estamos agora um do outro, e posso lhe garantir que, em espírito, estou ao lado de você, junto a seu cotovelo.

Era um vulto estranho. Como uma criança. Mas ainda mais parecido com um velho, visto através de algum meio sobrenatural, que lhe dava a aparência de ter recuado da visão e ter sido diminuído até o tamanho de uma criança. Seu cabelo, comprido, cobrindo o pescoço e as costas, era branco, como pela idade. Mas o rosto não tinha uma única ruga, e a pele parecia macia. Os braços eram longos e musculosos, assim

como as mãos, que pareciam dotadas de uma força descomunal. Pernas e pés, de constituição delicada, estavam nus como os membros superiores. Usava uma túnica imaculadamente branca, com um cinto lustroso na cintura, de brilho bonito. Segurava na mão um ramo verde de azevinho fresco. E, em singular contradição com esse emblema do inverno, tinha a roupa enfeitada de flores do verão. Mas o mais estranho de tudo era que do alto de sua cabeça jorrava um jato claro e brilhante de luz, que permitia ver tudo isso e sem dúvida era o motivo de que ele usasse, como capuz, em seus momentos mais opacos, uma espécie de apagador grande, como os dos lampiões — mas agora o prendia debaixo do braço.

Mas mesmo isso, quando Scrooge olhou com mais atenção, não era sua qualidade mais estranha. Porque da mesma forma que o cinto faiscava e cintilava, ora em uma parte ora em outra, e o que num instante era luz em seguida se apagava, também o próprio vulto flutuava em sua nitidez. Ora se distinguia nele uma coisa com um braço, ora com uma perna, ora com vinte pernas, ora um par de pernas sem cabeça, ora uma cabeça sem corpo. E cada parte que se dissolvia não deixava um contorno visível na escuridão densa em que se derretia. E no meio de todo esse espanto, de repente ele voltava a ser inteiro e completo. Distinto e claro. Definido como antes.

— É você o espírito que me anunciaram? — perguntou Scrooge.

— Sou!

A voz era suave e gentil, mas singularmente baixa, como se, em vez de estar tão perto a seu lado, estivesse a uma grande distância.

— Quem e o que é você?

— Sou o Espírito dos Natais Passados.

— Passados há muito tempo? — indagou Scrooge, observando a sua estatura de anão.

— Não. Todos os Natais do seu passado.

Se alguém perguntasse a Scrooge, na certa ele não saberia dizer por que sentiu vontade de ver o espírito de capuz. Mas pediu para que ele o pusesse.

— O quê? — exclamou o fantasma. — Por que quer apagar tão cedo, com mãos mundanas, a luz que eu irradio? Já não lhe basta ser um daqueles cujas paixões fizeram este chapéu e me obrigam a usá-lo enfiado sobre os olhos pelos séculos dos séculos?

Scrooge declinou respeitosamente de qualquer intenção ofensiva, bem como de qualquer conhecimento de ter "enchapelado" o espírito de propósito em qualquer ocasião de sua vida. Depois, atreveu-se a perguntar o motivo que o trazia.

— O seu bem — respondeu o fantasma.

Scrooge expressou seus agradecimentos, mas não podia deixar de pensar que uma noite de sono bem-dormida teria sido muito mais eficiente para aquele propósito. O espírito devia ter ouvido o que ele pensou, pois imediatamente disse:

— Ou, então, a sua conversão... Cuidado!

Estendeu a mão forte enquanto falava e segurou o braço de Scrooge, com gentileza.

— Levante-se! Venha passear comigo!

Teria sido inútil Scrooge argumentar que o tempo e a hora não eram exatamente adequados a propósitos pedestres; que a cama estava quente e o termômetro a muitos graus abaixo do ponto de congelamento; que só estava vestido com chinelos leves, camisolão e capuz de dormir, e que estava resfriado, justamente nesse dia. A mão que o segurava, embora gentil como a de uma mulher, não admitia resistências. Levantou-se. Mas, percebendo que o espírito se dirigia à janela, segurou sua túnica em tom de súplica:

— Sou um mortal. Sujeito a cair.

— É só eu encostar minha mão aí — disse o espírito, tocando seu coração — e você se elevará muito mais do que isso.

Ao dizer essas palavras, foi passando com ele através da parede, e chegaram a uma estrada em meio a campos cultivados. A cidade desaparecera completamente, sem deixar vestígios. A escuridão e a neblina tinham sumido com ela, e era um dia de inverno claro e frio, com neve cobrindo a terra.

— Meu Deus! — exclamou Scrooge, juntando as mãos. — Eu me criei neste lugar! Foi aqui que eu fui criança...

O espírito o contemplou com suavidade. Seu toque gentil, embora tivesse sido apenas leve e instantâneo, ainda parecia presente na sensação do velho. Ao mesmo tempo, estava consciente de milhares de cheiros flutuando no ar, cada um ligado a milhares de pensamentos, esperanças, alegrias e cuidados, esquecidos havia tanto, tanto tempo!

— Seus lábios estão tremendo — disse o fantasma. — E o que é isso em sua bochecha?

Scrooge murmurou, com um tom diferente na voz, que era uma espinha. E implorou ao fantasma que o levasse aonde devia ir.

— Você lembra o caminho? — perguntou o espírito.

— Se lembro? Tão bem que podia seguir por ele com os olhos vendados — respondeu Scrooge com fervor.

— Estranho ter se esquecido dele por tantos anos... — observou o fantasma. — Vamos em frente.

Seguiram pela estrada. Scrooge reconhecia cada portão, cada poste, cada árvore. Até que apareceu ao longe uma cidadezinha onde havia um mercado, com sua ponte, sua igrejinha, seu rio com meandros. Alguns potros de crinas compridas trotavam em direção a ela, levando montados uns meninos que gritavam para outros meninos, que iam em carroças e charretes, dirigidas por fazendeiros. Seguiam todos felizes, chamando uns aos outros e rindo, e daí a pouco os campos estavam cheios de música tão alegre que parecia que até o ar frio estava dando risadas por ouvi-la.

— São apenas sombras de coisas que existiram — explicou o fantasma. — Não têm nenhuma consciência de nós.

Os alegres viajantes foram se aproximando. E, à medida que chegavam perto, Scrooge ia reconhecendo e dando o nome de cada um deles. Por que sentia uma alegria infinita ao vê-los? Por que seus olhos frios se umedeciam e seu coração dava saltos quando eles passavam? Por que ficou tão contente quando percebeu que cada um gritava para os outros "Feliz Natal", quando se separavam nas encruzilhadas e portões, cada um a caminho de sua casa? O que era um Feliz Natal para Scrooge? Era uma coisa tão distante um Feliz Natal... Que lucro algum dia lhe dera?

— A escola ainda não está totalmente deserta — disse o fantasma. — Ainda ficou lá uma criança solitária, esquecida pelos amigos.

Scrooge disse que sabia. E soluçou.

Saíram da estrada, por um caminhozinho que ele lembrava muito bem, e logo se aproximaram de uma mansão de tijolinhos vermelhos, austera, com uma cúpula no telhado, onde havia um pequeno cata-vento e um sino dependurado.

Era uma casa grande, mas parecia em ruínas. Os escritórios espaçosos eram pouco usados, as paredes eram úmidas e cobertas de musgo, as janelas estavam quebradas, os portões estavam gastos. Pelos estábulos, galinhas ciscavam e cacarejavam. Nas cocheiras e celeiros, o mato crescia. Por dentro, também nada parecia conservar seu antigo estado. Ao entrarem no vestíbulo sombrio, e ao passarem pelas portas abertas de seus inúmeros aposentos, viram que estavam todos mal mobiliados, frios, quase vazios. Havia um gosto de terra no ar, um desolamento gelado por toda parte, que de alguma maneira se associava muito a levantar apenas com uma vela e ter quase nada para comer.

Foram em frente, o espírito e Scrooge, atravessaram o vestíbulo e se dirigiram a uma porta nos fundos. Ela se abriu diante deles e revelou uma sala comprida, nua e melancólica, que parecia ainda mais nua com suas fileiras de bancos e carteiras. Numa delas, um menino solitário lia sozinho diante de um fogo fraco. Scrooge sentou-se num banco e chorou ao ver a si mesmo, abandonado, como costumava ser.

Nenhum eco de seu choro foi ouvido na casa. Nenhum rangido dos camundongos atrás dos painéis de madeira, nenhuma gota d'água da bica semicongelada no pátio às suas costas, nenhum suspiro entre os galhos sem folhas de um velho choupo, nem o ranger vadio de uma porta de despensa vazia, nenhum estalo no fogo. Nada exerceu sua influência para aliviar a dor no coração de Scrooge e dar passagem mais livre a suas lágrimas.

O espírito tocou seu braço e apontou aquele outro ele mesmo, a criança tão concentrada em ler. De repente, surgiu um homem vestido em roupas estrangeiras, de algum país muito distante, maravilhosamente real e nítido. Em pé, do lado de fora da vidraça, com um machado preso à cintura, puxando pela rédea um burro carregado de lenha.

— É Ali Babá! — exclamou Scrooge, em êxtase. — Meu velho e querido Ali Babá! Ele mesmo, eu sei, eu conheço! Houve um Natal, quando só uma criança solitária ficou aqui, que ele veio, pela primeira vez. Foi bem assim! Coitado! E como é mesmo o nome daquele outro? Aquele que eles levaram dormindo até a Porta de Damasco. Você não está vendo? E o cavalariço do sultão, que o gênio virou de pernas para o ar, olha ele ali, de cabeça para baixo! Bem feito! Para que é que ele foi casar com a princesa?

Se os amigos de Scrooge na cidade o vissem assim, entregando-se com toda sua seriedade a esses assuntos, numa voz extraordinária entre o riso e o choro... Se vissem seu rosto exaltado e animado com essas coisas, ficariam realmente muito surpresos.

— E lá está o papagaio! — exclamou Scrooge. — De corpo verde e rabo amarelo, com um topete que parece uma alface, bem no cocuruto. Lá está ele! Coitado do Robinson Crusoé, era assim que ele o chamava, depois que ele voltou de sua navegação contornando a ilha. "Coitado do Robinson Crusoé, por onde foi que você andou, Robinson Crusoé?". O homem achou que estava sonhando, mas é claro que não

ROBINSON CRUSOE
ROBINSON CRUSOE

estava, era só o papagaio, sabe? E ali vai Sexta-Feira, correndo em direção ao riozinho para salvar sua vida... Isso! Vamos!

Em seguida, numa transição rápida, que era muito estranha a seu jeito de ser, exclamou, com pena de como era antes:

— Pobre menino!

E começou a chorar de novo.

— Eu queria... — murmurou Scrooge, pondo a mão no bolso e depois olhando em volta, após ter secado os olhos no punho da manga. — Mas agora é tarde demais.

— O que há? — perguntou o espírito.

— Nada — disse Scrooge. — Nada. Ontem à noite veio um menino entoar um cântico de Natal na minha porta. Eu gostaria de ter dado alguma coisa a ele, só isso...

O fantasma sorriu, pensativo, e fez um gesto com a mão, enquanto dizia:

— Vamos ver outro Natal!

O menino que fora Scrooge foi crescendo, com essas palavras, à medida que a sala ficava mais escura e mais suja. Os painéis encolheram, a pintura das janelas descascou, pedaços de gesso caíram do teto, mostrando as ripas nuas em seu lugar. Mas de que modo isso aconteceu era coisa que Scrooge não conseguia explicar, tanto quanto você. Só sabia que era assim que tinha acontecido, e estava certo. Que lá estava ele mais uma vez sozinho, quando todos os meninos tinham saído e ido para casa contentes festejar o feriado.

Agora ele não estava lendo, mas andando de um lado para outro, desesperado. Scrooge olhou para o Espírito e, balançando a cabeça de modo aflito, virou o olhar, ansiosamente, em direção à porta.

Ela se abriu. Uma menina, bem mais moça que o menino, entrou correndo por ela. Pondo os braços em volta do pescoço dele, e o beijando muito, dirigiu-se a ele:

— Meu irmão tão querido!

Em seguida, a criança bateu palmas e riu, continuando a chamar:

— Vim buscar você para ir para casa, meu irmão querido! Para casa, para casa!

— Para casa, Fannyzinha? — perguntou ele.

— Isso mesmo! — disse a menina, resplandecente de alegria. — Para casa, de uma vez por todas! Para casa, para sempre! Papai anda tão mais gentil do que antes, e nossa casa até parece o Céu! Ele falou comigo com tanta suavidade no outro dia, quando eu ia dormir, que eu nem tive medo de perguntar se você podia voltar para casa. E ele disse que sim! Que era bom você voltar. E me mandou aqui chamar você. E você vai crescer, virar um homem-feito — completou a criança, arregalando os olhos —, e nunca mais vai precisar voltar para cá. Mas, primeiro, nós todos vamos passar o Natal juntos, e nos divertir muito.

— Você já está uma mocinha, Fanny! — exclamou o menino.

Ela bateu palmas de novo, rindo, tentando tocar a cabeça dele; mas, como era muito pequena, não conseguia e ria mais, ficando na ponta dos pés para abraçá-lo. E ele, sem reagir, se deixava levar, feliz.

De repente, uma voz terrível ecoou no vestíbulo:

— Tragam o baú do senhor Scrooge, imediatamente!

E logo apareceu o diretor em pessoa, contemplando o jovem Scrooge com uma condescendência feroz, e deixando-o num estado de espírito absolutamente confuso quando apertou sua mão. Depois, conduziu-o e à sua irmã até a sala de estudos mais velha e glacial que jamais se viu, onde até os mapas nas paredes e os globos terrestre e celeste junto à janela estavam enregelados de frio. Aí, desencavou não se sabia de onde uma garrafa de um vinho curiosamente leve e um pedaço de um bolo curiosamente pesado, e passou a administrar porções desses produtos aos dois jovens. Ao mesmo tempo, mandou que uma criada magra fosse oferecer um copo de "alguma coisa" ao cocheiro, mas este respondeu que agradecia muito ao cavalheiro, porém, se se tratava da mesma garapa que provara antes, ele preferia se abster. A essa altura, o baú do jovem Scrooge já fora amarrado no alto da carruagem, e as crianças tiveram enorme prazer em se despedir do diretor da escola. Entrando no veículo, lá se foram alegremente pela estradinha que atravessava o jardim, e as rodas ligeiras jogavam longe os torrões de neve e gelo para os lados e cobriam as folhas escuras de uma sebe de sempre-verdes, das que aguentam o inverno sem ficarem nuas.

— Sempre uma criatura delicada e frágil, que podia ser derrubada por um sopro — comentou o espírito. — Mas de coração imenso!

— Tinha mesmo! — exclamou Scrooge. — Você tem razão, não seria eu quem o desmentiria, Deus me livre!

— Morreu depois de casar, se não me engano — continuou o fantasma —, e acho que deixou filhos...

— Um — respondeu Scrooge.

— Exatamente — disse o fantasma. — Seu sobrinho!

Scrooge ficou pouco à vontade e apenas respondeu, meio sem jeito:

— É...

Embora tivesse deixado o prédio da escola naquele momento, agora estavam nos subúrbios movimentados de uma cidade, em que sombras de passantes caminhavam pelas ruas, sombras de carroças e carruagens disputavam o caminho, e toda a cena era dominada pela agitação e tumulto de uma cidade real. Pela ornamentação das lojas, era evidente que também aqui era Natal. Mas era noite, e as luzes estavam acesas.

O fantasma parou diante da porta de um certo galpão e perguntou se Scrooge sabia o que era.

— Se eu sei? Mas foi aqui que eu fui aprendiz!

Entraram. Ao ver um velho com uma peruca de rabicho, sentado atrás de uma prancheta tão alta que, se tivesse mais uns cinco centímetros, ele ia bater com a cabeça no teto, Scrooge exclamou muito animado:

— Vejam só, o velho Fezziwig! Deus o abençoe, o velho Fezziwig vivo outra vez...

O velho pousou a caneta e olhou o relógio de parede, que mostrava sete horas. Esfregou as mãos, ajustou seu amplo colete, deu uma boa risada que o sacudiu todo, dos pés à cabeça, e chamou numa voz untuosa, gorda, rica, opulenta e espaçosa:

— Ei, vocês! Ebenezer! Dick!

O antigo aspecto de Scrooge, agora rapaz, entrou, acompanhado de seu colega-aprendiz.

— Dick Wilkins, sem a menor dúvida! — disse Scrooge para o fantasma. — Meu Deus, é ele mesmo! Ele era muito ligado a mim, o Dick... Pobre Dick! Meu Deus!

— Bom, rapazes, chega de trabalho por hoje! — determinou Fezziwig. — É véspera de Natal, Dick. Natal, Ebenezer! Vamos fechar esse escritório logo, bem depressa!

Não dava para acreditar com que rapidez os dois rapazes trataram disso. Saíram correndo para fechar as portas de grades e já estavam de volta antes de dar tempo de contar até doze, ofegantes como cavalos de corrida.

— Muito bem! — exclamou o velho Fezziwig, pulando de seu tamborete alto com uma agilidade assombrosa. — E agora vamos afastar os móveis, rapazes, para termos bastante espaço por aqui! Vamos preparar a festa, Dick! Com animação, Ebenezer!

Afastar os móveis... Não havia nada que eles não pudessem arrastar e tirar do caminho, com o velho Fezziwig olhando. Em um minuto, estava pronto. Tudo o que podia ser removido estava afastado, como se estivesse escondido da vida pública. O chão foi varrido e lavado, as guirlandas de lâmpadas foram penduradas, o fogo foi atiçado, e num instante o galpão tinha virado um salão de baile, claro, quente, seco e brilhante, tudo o que se poderia desejar numa noite de inverno.

Foi bem a tempo. Logo chegou um tocador de rabeca, com um livro de partituras. Instalou-se na prancheta alta e fez dela uma orquestra, que ressoava como uns cinquenta estômagos roncando. Chegou a senhora Fezziwig, um sorriso amplo e substancial. Chegaram as três senhoritas Fezziwig, resplandecentes e adoráveis. Chegaram os seis jovens pretendentes cujos corações elas estraçalhavam. Chegaram todos os rapazes e moças que trabalhavam na firma. Chegou a criada, com seu primo, o padeiro. Chegou a cozinheira, com o grande amigo de seu irmão, o leiteiro. Chegou o rapaz do outro lado da rua, que todo mundo achava que passava fome e era explorado pelo patrão; ele tentava se esconder atrás da empregada da casa que ficava dois números adiante, que ninguém tinha dúvidas de que costumava ter as orelhas puxadas pela patroa. Chegaram todos, um depois do outro. Uns tímidos, outros seguros, uns graciosos, outros desajeitados, uns empurrando, outros puxando. Chegaram todos, cada um ao seu jeito. E lá se foram, vinte casais formados num instante, de mãos dadas, dançando a roda para um lado e para o outro, fechando e abrindo, rodando de novo, em vários estágios diferentes de reunião afetiva. E o casal que puxava a contradança sempre acabava aparecendo no lugar errado, e vinha outro para substituí-lo, e errava outra vez, e no fim todos já tinham se revezado, e errado, e rido muito.

Finalmente, o velho Fezziwig bateu palmas para que a dança parasse e exclamou:

— Muito bom!

O músico parou com sua rabeca e imediatamente enfiou a cara num imenso caneco de cerveja preta, que alguém havia trazido especialmente para aquele fim. Mas num instante a retirou e recomeçou a tocar, mesmo sem ainda haver dançarinos, como se o outro músico tivesse sido carregado para casa numa maca e ele fosse um homem novo em folha, decidido a derrotar seu predecessor ou morrer.

Houve mais danças e brincadeiras de prendas, e mais danças ainda, e bolo, e um pedaço enorme de rosbife frio, e um pedaço enorme de peixe cozido, e bolinhos, e muita, mas muita cerveja. Mas o grande momento da noite foi quando, depois da carne e do peixe, quando o músico (ele era danado de esperto, ele, o tipo do sujeito que conhecia seu ofício melhor do que ninguém) começou a tocar uma ária de muito sucesso, a "Sir Roger de Coverley". Nessa hora, o velho Fezziwig se levantou para dançar com a senhora Fezziwig. Como dançavam bem! Foram guiando a contradança, enfrentando o desafio seguido de uns vinte e três ou vinte e quatro pares de dançarinos, gente que não era de brincadeira. Gente que adorava dançar, só queria saber disso e nem ao menos caminhava com graça.

Mas mesmo que houvesse o dobro de pares, ou quatro vezes isso, ainda assim o velho Fezziwig ganharia deles todos. E a senhora Fezziwig também. Era digna de seu par em todos os sentidos do termo. E, se você achar que isso não é um grande elogio, me diga um maior, e eu uso. Parecia que jorrava uma luz das pernas de Fezziwig. Elas brilhavam como luas, em cada parte da dança. Não dava para se prever o passo seguinte nunca, em momento algum. E, quando o velho Fezziwig e a esposa encerraram a dança, quando concluíram todo aquele avança-e-recua, segura-a-mão-do-parceiro, curva-e-faz-cortesia, roda-roda, passa-atrás e volta-para-o-lugar, Fezziwig deu um "corte" — um passo saltado, de tanta elegância que parecia que ele tinha piscado com as pernas — e caiu em pé de novo, sem perder o equilíbrio.

Quando o relógio deu as onze, esse baile doméstico se encerrou. O senhor e a senhora Fezziwig tomaram seus lugares, um de cada lado da porta, e foram se despedindo de todos, apertando a mão de cada um que saía e desejando Feliz Natal. Quando só ficaram os dois aprendizes, fizeram o mesmo com eles. E assim o vozerio alegre foi desaparecendo ao longe e os rapazes ficaram sozinhos para ir dormir, em suas camas atrás de um balcão na loja dos fundos.

Durante todo esse tempo, Scrooge tinha agido como se fosse um homem fora de seu juízo. Seu coração e sua alma estavam na cena a que assistia, com seu antigo eu. Confirmava tudo, recordava tudo, tinha prazer com tudo e vivia uma agitação das mais estranhas. E só agora, quando os rostos brilhantes de Dick e de si mesmo quando jovem se afastaram dele, lembrou-se do espírito e ficou consciente de que este o olhava de frente, enquanto a luz em sua cabeça brilhava muito clara.

— Algo tão pequeno — disse o fantasma — e faz essa gente tola ficar tão agradecida...

— Pequeno? — ecoou Scrooge.

O espírito fez sinal para que prestasse atenção ao que diziam os dois aprendizes, derramando-se em elogios a Fezziwig. Depois que ele escutou bem, o fantasma disse:

— E não é uma coisa à toa? Ele só gastou umas poucas libras desse dinheiro mortal de vocês. Umas três ou quatro, talvez... Será que isso é tanto que justifique todos os elogios que estão lhe fazendo?

— Não é isso — respondeu Scrooge, atingido pelo que o outro disse e, inconscientemente, falando como se fosse seu antigo eu, não sua forma atual. — Não é nada disso, espírito. Ele tem o poder de nos fazer felizes ou infelizes, de tornar o nosso serviço leve ou transformá-lo numa carga pesada, num prazer ou numa condenação. Digamos que o poder dele esteja nas palavras e nos olhares. Em coisas tão insignificantes e miúdas que é impossível somá-las ou contá-las. E daí? A felicidade que ele está dando é enorme, como se custasse uma fortuna.

Sentiu o olhar do espírito e se deteve.

— O que foi? — perguntou o fantasma.

— Nada em especial.

— Mas foi alguma coisa, não? — insistiu o fantasma.

— Não, nada — respondeu Scrooge. — Mas eu gostaria de poder dizer uma ou duas palavras a meu empregado agora, só isso...

Enquanto dizia isso, seu antigo eu estava apagando os lampiões. Scrooge e o fantasma ficaram, mais uma vez, lado a lado ao ar livre.

— Tenho pouco tempo — observou o espírito. — Depressa!

Isso não se dirigia a Scrooge, ou a ninguém visível, mas surtiu um efeito imediato. Porque, na mesma hora, Scrooge se viu de novo. Agora estava mais velho, um homem na flor da idade. Seu rosto não tinha as linhas duras e rígidas que teria anos depois, mas começava a mostrar sinais de preocupação e avareza. Havia um movimento ávido, cobiçoso e inquieto no seu olhar, que mostrava a paixão que já criara raízes, onde depois tudo seria coberto pela sombra da árvore que crescia.

Ele não estava sozinho, mas sentava-se junto a uma jovem loura vestida de luto, em cujos olhos havia lágrimas, brilhando à luz que jorrava do Espírito dos Natais Passados.

— Não tem nenhuma importância — dizia ela, suave. — Para você, não importa nada. Um outro ídolo tomou o meu lugar. E se, no futuro, ele puder alegrar e consolar você, como eu tentaria fazer, não tenho razão para me lamentar.

— Que ídolo? — perguntou ele.

— Um ídolo de ouro.

— São assim as coisas do mundo! — disse ele. — Não há nada nele que seja tão duro como a pobreza, mas não há nada que ele finja condenar com tanta severidade quanto a busca da riqueza.

— Você se preocupa muito com o mundo — respondeu ela, com gentileza. — Todas as suas outras esperanças convergiram para a esperança única de estar além de suas recriminações sórdidas. E eu vi todas as suas nobres aspirações irem caindo, uma por uma, até você ficar inteiramente tomado pela paixão maior, o Lucro.

— E daí? — retrucou ele. — Mesmo que eu tenha ficado assim tão mais sábio, não mudei com você...

Ela balançou a cabeça.

— Ou mudei?

— Nosso contrato é velho. Foi feito quando nós dois éramos pobres, e contentes com isso, até que com o tempo, no momento oportuno, poderíamos melhorar nossa sorte por meio de nosso trabalho paciente. Mas você mudou. Quando fizemos nosso trato, você era outro homem.

— Eu era um menino — disse ele, impaciente.

— Você mesmo sente que não era o que é agora. Mas eu sou. Aquela que lhe prometeu felicidade quando nossos corações eram um só, agora que são dois está desolada. Nem sei dizer quantas vezes eu pensei nisso. Mas o importante é que pensei, e muito, e por isso posso liberar você do compromisso.

— Mas alguma vez eu quis ser liberado?

— Com palavras, não. Nunca.

— De que modo, então?

— Você foi mudando sua natureza, alterando seu espírito, tendo outra atmosfera de vida, outra esperança como seu grande objetivo. Mudou em tudo que fazia meu amor ter algum valor a seus olhos. Se não existisse esse compromisso entre nós, você iria me procurar agora e tentar me conquistar? Claro que não!

Ele pareceu concordar a contragosto com a justiça dessa suposição. Mas disse, tentando rebater:

— Você é que acha que não...

— Gostaria muito de ter outra opinião, se pudesse — respondeu ela. — Deus sabe como eu gostaria... Quando cheguei à conclusão de que essa era a verdade, eu vi como ela era forte, e irresistível. Mas, se você fosse livre hoje, amanhã, ontem, será que escolheria uma moça pobre e sem dote? Logo você, que mede tudo pelo Lucro? E se, por um único momento, você fosse infiel ao único princípio que guia toda sua vida e a escolhesse, será que não se arrependeria em seguida? Tenho certeza de que o remorso não o deixaria em paz. Por isso, libero você de seu compromisso, com o coração pesado, por amor daquele que um dia você foi.

Ele ia dizer alguma coisa, mas, virando o rosto, ela continuou:

— Pode ser que você sofra um pouco com isto, e a memória do nosso passado quase me faz desejar que você sofra. Mas em muito pouco tempo estará desprezando qualquer lembrança deste episódio, alegremente, com alívio, por ter se livrado de um sonho que não trazia lucro algum e do qual ainda bem que você acordou. Pois, então, seja feliz na vida que você mesmo escolheu!

E ela foi embora.

— Espírito! — exclamou Scrooge. — Não me mostre mais nada! Leve-me para casa. Por que tem tanto prazer em me torturar?

— Só mais uma sombra! — disse o fantasma.

— Não! Mais nenhuma! Chega! Não quero ver! Não me mostre mais nada!

Mas o fantasma impiedoso segurou-o nos braços e o obrigou a observar o que aconteceu em seguida.

Estavam em outra cena e lugar: um quarto, nem muito grande nem muito elegante, mas confortável. Perto da lareira estava sentada uma jovem linda, tão parecida com a anterior que Scrooge achou que era a mesma, até que a viu, agora uma matrona, sentada em frente à filha. O barulho no quarto era muito tumultuado, porque havia nele mais crianças do que Scrooge, no estado agitado em que estava, conseguia contar. E, ao contrário do famoso poema, não se tratava de um bando de quarenta crianças se comportando como uma, mas de cada uma se comportando como quarenta*. A consequência era uma confusão além do que seria possível imaginar, mas ninguém parecia ligar. Pelo contrário, a mãe e a filha riam muito e pareciam estar se divertindo bastante. A filha, daí a pouco, se juntou às brincadeiras dos outros, com muitas gargalhadas. Ah, o que eu não daria para ser um deles! Muito embora eu não fosse ser um moleque tão rude — ah, isso não! Nem por todo o ouro do mundo eu ousaria puxar aquela trança linda, como um deles estava fazendo... Nem tiraria o sapatinho precioso dela, para jogar longe... Nem mesmo para salvar minha vida. Quanto a medir a cintura dela de brincadeira, como faziam agora, acho que meu braço ia enlaçá-la tanto que, de castigo, nunca mais perderia sua curva. E, no entanto, eu teria adorado,

* Há aí uma alusão a versos famosos do poeta inglês William Wordsworth (1770-1850), que dizem: "O gado está pastando, / As cabeças nunca se erguem; / São quarenta comendo como um só!". (N.T.)

e como!, tocar aqueles lábios... fazer perguntas para que ela os abrisse... olhar por cima das pestanas abaixadas quando ela olhava para o chão... soltar os cabelos em ondas, guardando um cacho deles como talismã... Ou seja, em poucas palavras, eu teria gostado muito de ter a espontaneidade de uma criança na brincadeira e, ao mesmo tempo, ser um homem-feito para saber o valor que ela tem.

Mas agora se ouvia uma batida na porta, e imediatamente se produziu tamanha correria que a jovem do rosto sorridente foi empurrada para o centro de um grupo risonho e barulhento, bem a tempo de cumprimentar o pai, que chegava em casa ajudado por um homem carregado de presentes de Natal. E que ataque fizeram então ao pobre carregador! Escalaram o coitado, subiram em cadeiras perto dele, exploraram seus bolsos, despojaram-no de pacotes de papel pardo, puxaram sua gravata, abraçaram seu pescoço, montaram em suas costas e chutaram suas canelas em gestos de carinho incontido. E como a abertura de cada embrulho foi recebida com exclamações de encantamento e delícia! Alguém anunciou que o bebê tinha sido apanhado no ato de botar uma frigideira de boneca na boca, e todos desconfiaram que ele tinha engolido um peru de brinquedo colado num pratinho de madeira. Foi um alívio quando descobriram que tinha sido um alarme falso. Que alegria, que gratidão, que êxtase! Todos igualmente indescritíveis. Basta dizer que pouco a pouco as crianças e suas emoções foram saindo da sala, subindo um degrau de cada vez, bem aos poucos, e acabaram chegando até o segundo andar da casa, onde foram para a cama e lá ficaram.

E agora Scrooge olhava com mais atenção do que nunca quando o dono da casa, com a filha amorosamente reclinada junto a ele, sentou-se com ela e a mãe junto ao fogo. E quando pensou que outra criatura assim, tão graciosa e promissora, poderia tê-lo chamado de pai e ter sido uma primavera no inverno da sua vida, deu um suspiro realmente muito fundo e muito triste.

— Belle — disse o marido, virando-se para a mulher com um sorriso —, hoje à tarde eu vi um velho amigo seu.

— Quem?

— Adivinhe.

— Como é que eu posso saber? Não faço a menor ideia... — disse ela, rindo como ele. — O senhor Scrooge?

— Ele mesmo. Passei pela janela do escritório dele e, como ainda não tinha fechado e havia uma vela acesa, não tinha como evitar ver... O sócio dele está morrendo, ouvi dizer. E ele estava lá sozinho. Inteiramente sozinho no mundo, creio.

— Espírito! — pediu Scrooge, com a voz alquebrada —, tire-me deste lugar.

— Eu lhe disse que eram só sombras de coisas que aconteceram. Elas são o que são, a culpa não é minha...

— Tire-me daqui! Eu não aguento!

Virou-se para o fantasma e, vendo que ele o olhava com um rosto que, de algum modo estranho, reunia fragmentos de todos os rostos que lhe mostrara, atracou-se com ele.

— Vá embora! Me leve daqui! Me deixe em paz!

Na luta — se é que se pode chamar de luta um encontro em que o fantasma não oferecia nenhuma resistência visível e não se perturbava com nenhum esforço de seu adversário —, Scrooge observou que a luz do fantasma estava cada vez mais brilhante. E, achando que isso tinha alguma relação com a influência do espírito sobre ele, agarrou o apagador de vela e, num gesto súbito, enfiou-o na cabeça do outro, empurrando para baixo.

O espírito desabou embaixo do apagador, de modo que este o cobriu por completo. Mas, por mais que Scrooge forçasse, não conseguiu extinguir a luz que saía de debaixo dele e se espalhava pelo chão.

Teve consciência de que estava exausto, tomado por uma sonolência irresistível. E de que estava em seu quarto. Deu um último aperto no apagador e relaxou a mão. Mal teve tempo de se jogar na cama, onde mergulhou num sono profundo.

III

O segundo dos três espíritos

Acordando bem no meio de um ronco impressionantemente alto e se sentando logo na cama para tentar arrumar os pensamentos, Scrooge nem teve tempo de se dar conta de que o relógio estava dando uma hora novamente. Sentiu que tinha voltado à consciência no momento exato para seu encontro com o segundo mensageiro que lhe tinham despachado, por intervenção de Jacob Marley. Mas, como descobriu que sentia um frio muito pouco confortável quando começava a pensar qual das cortinas da cama o novo espectro puxaria dessa vez, achou melhor afastar logo todas com suas próprias mãos. Depois, recostou-se de novo e inspecionou o quarto com o olhar. Queria desafiar o espírito no momento em que ele aparecesse, sem ser apanhado de surpresa nem ficar nervoso.

Cavalheiros experientes das coisas do mundo, que se orgulham de sempre saber o que fazer e se sentem à vontade em qualquer circunstância, costumam expressar a ampla faixa de suas capacidades em caso de aventura afirmando que são bons em qualquer coisa, desde tirar cara ou coroa até massacrar inimigos — imagina-se que, entre esses extremos opostos, sem dúvida, situa-se uma gama de assuntos bastante ampla e variada. Sem chegar a arriscar tanto no caso de Scrooge, não me importo de pedir a você que acredite que ele estava preparado para um vasto campo de estranhas aparições e que nada, de um bebê a um rinoceronte, o surpreenderia muito.

Acontece que, estando preparado para qualquer coisa, não estava preparado para nada. Consequentemente, quando o sino deu uma hora e não apareceu forma alguma, ele foi acometido de um violento acesso de tremedeira. Passaram-se cinco minutos, dez minutos, um quarto de hora, e não surgiu nada. Nesse tempo todo, ele continuou deitado, no centro de uma luz brilhante que jorrava sobre a cama desde que o relógio proclamara a hora e que, sendo apenas luz, era mais assustadora do que uma dúzia de fantasmas, já que ele era impotente para descobrir do que se tratava, ou o que haveria, e chegou a ficar apreensivo, achando que era naquele momento um caso interessante de combustão espontânea* sem ao menos ter o consolo de saber se era mesmo. Finalmente, entretanto, começou a pensar — como você ou eu já teríamos feito, porque é sempre a pessoa que não está numa situação difícil quem sabe exatamente o que deveria ser feito, e sem dúvida faria a coisa certa. Finalmente, como eu dizia, começou a pensar que a origem e o segredo dessa luz fantasmagórica deveria estar no quarto ao lado, de onde, quando ele observou melhor, o brilho parecia vir.

Com essa ideia na cabeça, levantou-se devagar e foi arrastando os chinelos até a porta.

No momento em que a mão de Scrooge segurou o trinco, uma voz estranha chamou seu nome e lhe disse que entrasse. Obedeceu.

Era seu próprio quarto. Não havia dúvida. Mas tinha sofrido uma transformação surpreendente. As paredes e o teto estavam tão cheias de plantas que parecia um matagal, onde em toda a parte brilhavam frutinhas de cor viva. As folhas lisas do azevinho, do agárico e da hera refletiam a luz, como se fossem um monte de espelhinhos por todo o lado. E na lareira havia um fogo tão alto como ela jamais vira, nem em seu tempo, nem no de Marley, por muitos e muitos invernos. Numa grande pilha no chão, formando uma espécie de trono, havia perus, gansos, caças, aves, pernis, leitõezinhos, longas guirlandas de linguiça, tortas, bolos, pudins, barris de ostras, castanhas assadas, maçãs vermelhas como cerejas, laranjas suculentas, peras lustrosas, imensas tortas de Reis e poncheiras cheias que perfumavam o aposento com seu vapor delicioso. Muito à vontade nessa poltrona, sentava-se um alegre gigante, glorioso de ver, segurando uma tocha parecida com uma cornucópia, e a erguia bem alto, iluminando Scrooge com sua luz, quando ele passou pela porta.

— Entre! — chamou o fantasma. — Entre! Venha me conhecer melhor, homem!

Scrooge entrou timidamente, de cabeça baixa. Não era mais o mesmo Scrooge altivo de antes. E, apesar de os olhos do espírito serem claros e amigáveis, ele não queria encontrá-los.

— Sou o Espírito do Natal Presente — anunciou. — Olhe para mim!

* Dickens expressa aqui um mito bastante disseminado em sua época: a ideia de que o corpo humano podia ficar tão deteriorado que entraria em combustão espontânea. (N.T.)

Scrooge fez isso, com reverência. O espírito vestido numa túnica verde-escura, simples, com borlas de pele branca. Era tão frouxa que lhe deixava o peito à mostra, como se não se importasse em esconder nada por meio de um artifício. Os pés, que podiam ser vistos por entre as dobras amplas da roupa, também estavam nus. E, na cabeça, a única cobertura era uma guirlanda de azevinho, salpicada aqui e ali de cristais de gelo brilhantes. Os cabelos escuros e cacheados estavam soltos, livres como o rosto alegre, o olhar brilhante, a mão aberta, a voz jovial, o porte descontraído, todo um ar de contentamento. Enrolado pelo meio da figura, estava um cinturão antigo, com uma bainha comida pela ferrugem e nenhuma espada ali.

— Você nunca viu nada parecido comigo?! — exclamou o espírito.

— Nunca — foi a resposta de Scrooge.

— Nunca passeou por aí com os membros mais jovens de minha família, quer dizer (porque eu sou muito jovem), meus irmãos mais velhos nascidos nestes últimos anos?

— Creio que não... — disse Scrooge. — Você tem muitos irmãos, espírito?

— Mais de mil e oitocentos...

— Que família enorme para sustentar! — murmurou Scrooge.

O Espírito do Natal Presente se levantou.

Scrooge dirigiu-se a ele, submisso:

— Espírito, leve-me onde desejar. A noite passada eu fui levado à força e aprendi uma lição que está fazendo efeito agora. Esta noite, se você tem algo a me ensinar, que eu o aproveite...

— Toque minha túnica!

Scrooge fez o que lhe mandava e a segurou com força.

Azevinho, frutinhas vermelhas, hera, perus, gansos, caças, aves, leitões, carnes, linguiças, ostras, bolos, frutas, ponche, tudo desapareceu num instante. E também o quarto, a lareira, o fogo brilhante, a hora da noite. Estavam nas ruas de uma cidade na manhã de Natal, e, como o tempo estava severo, as pessoas faziam uma espécie de música áspera, mas não de todo desagradável, raspando a neve das calçadas em frente a suas casas ou dos telhados. As crianças se deliciavam com os montes brancos assim formados nas ruas e corriam pelo meio dessas pequenas nevascas artificiais.

As frentes das casas pareciam bem escuras, e as janelas mais ainda, em contraste com o lençol branco e macio que cobria os telhados e com a neve mais suja pelo chão, cujas camadas mais recentes haviam sido aradas em sulcos profundos pelas rodas pesadas de carroças e carruagens, sulcos que se cruzavam e entrecruzavam centenas de vezes onde as grandes ruas se encontravam, e faziam intricados canais, difíceis de traçar, na lama espessa e amarela e na água gelada. O céu estava sombrio, e as ruas mais estreitas estavam tomadas por uma neblina espessa, meio derretida, meio congelada, cujas partículas mais pesadas caíam numa chuva de átomos sujos, como se todas as chaminés da Grã-Bretanha houvessem, por conta própria, acendido seus fogos muito satisfeitas e estivessem se esvaindo numa só queima. Não havia nada especialmente alegre no clima da cidade, e, no entanto, estava no ar uma alegria difusa que o ar mais claro e o sol mais forte do verão teriam se esforçado em vão para dissipar.

Porque as pessoas que estavam com pás no alto das casas pareciam se divertir, todas contentes. Chamavam umas às outras dos parapeitos, e de vez em quando se atiravam bolas de neve, de brincadeira — projéteis de muito melhor natureza do que palavras numa discussão — e riam, com vontade se acertavam, e com mais vontade ainda se erravam. As lojas que vendiam aves de granja ainda estavam abertas, as quitandas estavam radiantes na glória de suas frutas. Havia cestas grandes e redondas, repletas de castanhas, parecendo coletes a cobrir as barrigas de velhos senhores bonachões. Em sua opulência apoplética, transbordavam pelas portas, derramavam-se pelas ruas. Havia cebolas espanholas, ruivas e bochechudas, brilhantes na sua gordura farta como se fossem frades da Espanha, piscando das prateleiras para as moças que passavam e olhavam de banda para os galhos de visco pendurados. Havia peras e maçãs, empilhadas em pirâmides resplandecentes. E cachos de uva, que, por benevolência do quitandeiro, haviam sido pendurados em ganchos em locais bem visíveis, para que quem passasse sentisse água na boca, de graça. Havia pilhas de avelãs, pardas e cheirando a musgo, a lembrar com seu perfume antigos passeios pelos bosques e caminhadas agradáveis com folhas secas até os tornozelos. Havia o brilho dourado de laranjas e limões, que, na tentação compacta de suas pessoas suculentas, imploravam com urgência para serem levados para casa em sacolas de papel e comidos após o jantar. Os próprios peixinhos-dourados e prateados que estavam num aquário entre essas frutas escolhidas, embora fossem membros de uma raça sem graça e de sangue estagnado, pareciam saber que algo festivo se passava. Todos eles giravam para lá e para cá em seu pequeno mundo, numa animação lenta e desapaixonada.

E as mercearias... Ah, as mercearias! Estavam já quase fechadas, às vezes com uma ou duas portas já abaixadas. Mas o que se vislumbrava por esses entreabertos, que maravilha! Não era apenas porque as balanças descendo sobre os balcões faziam um som alegre, ou porque o carretel e o barbante se afastavam tão saltitantes de repente, ou porque as latas eram amontoadas para lá e para cá como em truques de malabaristas, ou porque os perfumes misturados do chá e do café eram tão agradáveis ao olfato, nem mesmo porque as passas eram tantas e tão raras, as amêndoas tão brancas, os paus de canela tão longos e retos, os outros temperos tão deliciosos, as frutas cristalizadas tão sequinhas e salpicadas de acúcar cristal, tudo tão tentador que era até capaz de fazer um passante distraído desmaiar de vontade. Nem era porque os figos eram úmidos e cheios de polpa, as ameixas francesas coravam em sua modéstia em caixas tão enfeitadas, e tudo era bom de comer e decorado para o Natal. Mas é que os fregueses estavam com tanta pressa, e tão animados com todas as promessas do dia, que esbarravam uns nos outros para passar na porta, enganchavam suas cestas de vime nas dos outros, esqueciam as compras em cima do balcão e tinham que voltar correndo para buscar, e cometiam centenas de enganos assim, com o melhor humor possível. E o merceeiro e sua gente estavam tão joviais também que as fivelas em forma de coração com que prendiam seus aventais podiam ser seu símbolo, seus próprios corações usados do lado de fora para um dia de inspeção geral, e para qualquer um se servir deles no Natal.

Mas logo os sinos tocaram, chamando a boa gente para a igreja e a capela. E lá vieram elas pelas ruas, aos bandos, em suas melhores roupas, com seus melhores sorrisos. Ao mesmo tempo, vindas de centenas de ruas laterais, becos e passagens sem nome, emergiram inúmeras pessoas, carregando para a padaria a ceia que iriam assar no forno do padeiro. Essa visão pareceu interessar muito ao espírito, porque parou com Scrooge ao seu lado junto à porta de uma padaria e, retirando as tampas das bandejas e dos tabuleiros dos passantes, salpicava-as de incenso com seu archote. E devia ser um archote bem diferente, porque, quando passaram umas pessoas que tinham brigado e se diziam palavras meio zangadas, ele jogou nelas umas gotinhas de água com o archote e o bom humor foi imediatamente restaurado. Pois, como disseram, era uma pena discutir no dia de Natal. E era mesmo! Deus seja louvado, isso é o que se deveria dizer.

Mais tarde, os sinos silenciaram, e as padarias se fecharam. Mas continuou havendo uma espécie de sombra alegre que vinha de todos esses jantares, do progresso dos assados, do bloco molhado de neve derretida que se fazia na calçada por cima de cada forno de padeiro em cada porão, onde o calçamento fumegava como se as próprias pedras estivessem cozinhando.

— Existe algum sabor especial nisso que cai do seu archote? — perguntou Scrooge.

— Existe, sim. Meu próprio sabor.

— E serve para qualquer tipo de ceia neste dia?

— Para qualquer ceia que se compartilha com o coração. Principalmente a dos mais pobres.

— Por que a dos mais pobres?

— Porque são os que mais precisam.

— Espírito — disse Scrooge depois de pensar um momento —, fico admirado de que, de todos os seres que existem em todos os muitos mundos em volta de nós, você deseje atrapalhar as oportunidades de diversão inocente dessa gente.

— Eu? — exclamou o espírito.

— É... privando-os dos meios de jantar no domingo, talvez o único dia em que se possa dizer que realmente comem.

— Eu? — repetiu o espírito.

— Você não quer que se fechem as padarias aos domingos? Dá no mesmo... E nesse caso eles não têm forno...

— Eu quero que fechem? — estranhou o espírito.

— Perdoe-me se me engano. Mas fazem isso em seu nome, ou, pelo menos, de alguém da sua família — disse Scrooge.

— Existem pessoas nesta sua terra — retrucou o espírito — que dizem que nos conhecem e cometem suas ações de paixão, orgulho, má vontade, ódio, inveja, mesquinharia e egoísmo em nosso nome, mas que nos são tão estranhas como se jamais tivessem existido. Lembre-se disso e ponha a culpa neles, não em nós.

Scrooge prometeu.

Prosseguiram, invisíveis como antes, em direção aos subúrbios da cidade.

Uma qualidade notável do espírito (que Scrooge tinha observado na padaria) era que, apesar de seu tamanho gigantesco, ele conseguia se acomodar facilmente em qualquer lugar e era capaz de ficar com graça e à vontade, como uma criatura sobrenatural, sob um teto baixo, como se estivesse num salão grandioso.

Talvez fosse pelo prazer que o espírito tinha em exibir esse seu poder, ou sua natureza boa e generosa, ou sua simpatia pelos pobres, mas o fato é que alguma coisa o fez ir direto à casa do empregado de Scrooge. Porque foi para lá que ele se dirigiu, carregando Scrooge agarrado à sua túnica. Quando chegaram à porta, o espírito sorriu e parou para abençoar a morada de Bob Cratchit com os salpicos de seu archote. Imaginem! Bob, que ganhava uma ninharia, ter a sua casinha minúscula abençoada pelo espírito...

Então se levantou a mulher de Bob, a senhora Cratchit, pobre mas vestida em sua melhor roupa, um traje que já tinha sido virado pelo avesso e recosturado para aproveitar o pano, enfeitada com fitas, que não custam muito e dão um ar de festa. Pôs a toalha na mesa, ajudada por Belinda Cratchit, sua segunda filha, também num vestido com fitas. Enquanto isso, o jovem Peter Cratchit mergulhava um garfo na panela de batatas e, ajeitando as pontas de um colarinho de camisa monstruoso (na verdade, propriedade de Bob, apenas emprestado ao filho e herdeiro em honra da data), cumprimentou a si mesmo por estar tão elegante, louco para exibir sua roupa nos parques elegantes da cidade. E agora dois Cratchit menores, um menino e uma menina, entraram aos pulos, gritando que tinham sentido cheiro de ganso assado do lado de fora da padaria e sabiam que era o deles — coisa que já começaram a comemorar, sonhando com recheios de sálvia e cebola e dançando em volta da mesa. Enquanto isso, adulavam o jovem Peter Cratchit, que soprava o fogo até que as batatas atrasadas começaram a ferver e a bater com força na tampa da panela pedindo para sair dali e ser descascadas.

— Mas o que pode ter acontecido com seu pai? — disse a senhora Cratchit. — E seu irmão, o pequeno Tim? E Marta? No Natal passado, ela já tinha chegado fazia uma meia hora...

— Marta está aqui, mamãe — disse uma moça, aparecendo.

— Marta está aqui, mamãe! — gritaram ao mesmo tempo os dois Cratchit mais moços. — Viva! Tem um ganso maravilhoso, Marta!

— Querida, o que foi que aconteceu? Você chegou tão tarde! — disse a senhora Cratchit dando uma dúzia de beijos na filha, enquanto tirava o chapeuzinho e o xale dela, com cuidado.

— Tivemos que trabalhar até tarde ontem à noite — respondeu a moça — e hoje cedo precisamos limpar tudo.

— Bom, não faz mal, o importante é que você veio... — disse a senhora Cratchit. — Sente-se junto ao fogo, meu bem, para se esquentar um pouco.

— Não, não! — gritaram os dois pequenos, que tomavam conhecimento de tudo ao mesmo tempo. — Papai está chegando... Esconda-se, Marta, esconda-se...

Marta se escondeu e entrou Bob, o pai, com pelo menos meio metro de cachecol pendurado à sua frente e as roupas surradas e puídas muito escovadas para terem um ar festivo. Nos ombros, trazia o pequeno Tim, coitado!, que carregava uma muletinha e tinha as pernas presas num aparelho de ferro.

— Onde está Marta? — perguntou Bob, olhando em volta.

— Não pôde vir — disse a senhora Cratchit.

— Não pôde vir?! — repetiu Bob desapontado, subitamente sentindo um enorme desalento e perdendo a animação com que tinha chegado, depois de vir da igreja brincando de galopar como se fosse o cavalinho de Tim. — Não pôde vir num dia de Natal?

Marta não gostava de ver o pai desapontado, mesmo que só por uma brincadeira. Saiu correndo de trás da porta do armário e correu para os braços dele, enquanto os dois pequenos Cratchit pegaram o pequeno Tim e o levaram para a lavanderia, para que ouvisse o pudim cantar no vapor do tacho de cobre sobre o qual estava embrulhado num pedaço de tecido, cozinhando.

— E como foi que o pequeno Tim se comportou? — perguntou a senhora Cratchit, depois que já tinha rido bastante da credulidade de Bob e este já tinha abraçado a filha até ficar satisfeito.

— Muito bem, esse menino é de ouro... — respondeu ele. — E, como fica muito tempo sentado sozinho, às vezes pensa as coisas mais estranhas. Quando estávamos voltando para casa, ele me disse que esperava que as pessoas tivessem reparado bem nele na igreja, porque é aleijado. E podia ser bom que, no dia de Natal, todos se lembrassem de quem fez os cegos verem e os aleijados andarem.

A voz de Bob estava trêmula ao dizer isso e mais ainda quando disse que o pequeno Tim estava crescendo e ficando forte.

Ouviu-se o som da muletinha irrequieta no assoalho, e a criança voltou antes que qualquer outra palavra fosse dita. O irmão e a irmã o acompanharam até o banquinho junto à lareira. E, quando Bob arregaçou as mangas — coitado, como se houvesse risco de que os punhos da camisa ficassem mais sebentos — para fazer uma mistura de uma beberagem quente numa jarra, com gim e limão, bem mexida, e posta ao fogo para aquecer, o jovem Peter e os dois pequenos Cratchit, que estavam em toda parte, saíram para buscar o ganso, com o qual logo voltaram em alegre desfile.

A agitação que se seguiu podia até fazer pensar que ganso era uma ave raríssima, um fenômeno emplumado que ofuscava os cisnes-negros — mas na verdade, naquela casa, era quase isso mesmo. A senhora Cratchit esquentou o molho, que já estava pronto numa panelinha. O jovem Peter amassou as batatas com um vigor inacreditável. A senhorita Belinda temperou o purê de maçã. Marta distribuiu os pratos quentes. Bob levou o pequeno Tim para sentar a seu lado num cantinho da mesa. Os dois pequenos Cratchit arrumaram as cadeiras em volta, para todo mundo, sem esquecer de si mesmos, e, montando guarda em seus postos, começaram a meter as colheres na boca, como se elas já tivessem gosto de ganso antes mesmo que ele fosse servido.

Finalmente, as travessas foram trazidas e chegou o momento da oração de graças. Seguiu-se uma pausa silenciosa em que a senhora Cratchit, olhando com atenção a faca de trinchar, preparou-se para mergulhá-la no peito da ave. Mas quando o fez, e se derramou de dentro um bocado do recheio, como todos, havia tanto, esperavam, ergueu-se um murmúrio deliciado vindo de toda a volta da mesa, e até o pequeno Tim, excitado pelos dois pequenos Cratchit, bateu com o cabo da faca na mesa e gritou:

— Viva!

Nunca houve um ganso igual. Bob disse que não acreditava que jamais houvessem assado um ganso tão delicioso. Era tenro e saboroso. Seu cheiro e seu tamanho eram objeto de admiração universal. Acompanhado do purê de maçãs e do de batatas, dava para a família toda jantar. Mais que isso, como disse encantada a senhora Cratchit no fim, vendo um pequeno átomo de osso deixado na travessa, eles nem conseguiram comer tudo! Mas estavam todos satisfeitos, principalmente os dois pequenos, que tinham respingos do recheio de sálvia e cebola até as sobrancelhas. E agora, enquanto a senhorita Belinda trocava os pratos da mesa, a senhora Cratchit saiu da sala sozinha — nervosa demais para ter testemunhas — para tirar o pudim que cozinhava no vapor, enrolado num pano, e trazê-lo para a mesa.

E se não estivesse bem cozido? E se quebrasse ao ser desembrulhado? E se alguém tivesse pulado o muro do quintal e roubado a sobremesa enquanto estavam todos entretidos com o ganso? Só de imaginar isso, os dois pequenos Cratchit ficaram lívidos. Todo tipo de horror podia ter acontecido.

Mas que vapor cheiroso! Num instante, o pudim estava fora da forma. Havia um cheiro bom, de coisa bem limpa, como nos dias de lavar roupa — por causa do pano. E havia por cima um cheiro melhor ainda, de confeitaria, de restaurante. Como se houvesse um restaurante, e uma confeitaria, e uma lavanderia, uma ao lado da outra. Era a sobremesa. Em meio minuto, a senhora Cratchit entrou, vermelha, mas sorrindo, gloriosa. Trazia o pudim, como uma bala de canhão brilhante, firme, redondo, envolto em fogo festivo, porque flambado em um bocadinho de conhaque aceso, e enfeitado para o Natal com um pequeno ramo de azevinho espetado no alto.

Finalmente, terminaram a ceia, tiraram a toalha da mesa, deram uma varridela em volta da lareira e puseram mais lenha no fogo. E, como a bebida na jarra foi provada e considerada perfeita, puseram as maçãs e laranjas em cima da mesa e uma pá cheia de castanhas para assar no fogo. Depois, toda a família Cratchit se sentou em volta da lareira no que Bob chamou de um círculo, mas na verdade era só uma metade. E, no armarinho em que ele apoiava o cotovelo, ostentavam-se os copos de vidro da família — dois copos de pé e uma caneca grande, sem asa. Mas Bob serviu neles a bebida como se fossem de ouro, enquanto no fogo as castanhas cheiravam e estalavam. Depois, ele fez um brinde:

— Feliz Natal para todos nós, meus queridos. E que Deus nos abençoe.

Toda a família repetiu. O último foi o pequeno Tim, que exclamou sozinho:

— Deus abençoe cada um de nós.

Estava sentado ao lado do pai, em seu banquinho. Bob segurava na sua a pequena mão mirrada, e era evidente que amava aquela criança, queria tê-la sempre a seu lado, e temia que a levassem para longe.

— Espírito — disse Scrooge, com um interesse que nunca sentira antes por nada —, diga-me se o pequeno Tim vai sobreviver.

— Vejo uma cadeira vazia — disse o fantasma —, no canto da lareira pobre, e uma muleta sem dono, guardada com carinho. Se essas sombras permanecerem inalteradas no futuro, a criança morrerá.

— Não, não, espírito bondoso! Por favor, diga que ele vai ser poupado.

— Se essas sombras permanecerem inalteradas no futuro — repetiu o fantasma —, nenhum outro de minha raça o encontrará aqui. E daí? Se é para ele morrer, é melhor morrer logo e diminuir o excedente populacional.

Scrooge sentiu seu coração se apertar ao ouvir suas próprias palavras citadas pelo espírito e ficou transtornado de arrependimento e tristeza.

— Homem — disse o espírito —, se seu coração é de homem e não de pedra, não abuse mais das palavras maldosas antes de ter descoberto o que é o excesso e onde ele está. Como você pode ter desejado decidir quais homens vão sobreviver e quais devem morrer? Pode ser que, aos olhos dos céus, você seja menos digno de viver do que milhões de seres como o filho desse pobre homem. Ah, Deus! Ter que ouvir o inseto na folha reclamando que há vida demais entre seus irmãos que morrem de fome na poeira...

Scrooge se curvou com essa reprimenda do fantasma e, tremendo, abaixou os olhos. Mas logo os ergueu de novo, ao ouvir a menção de seu nome.

— Ao senhor Scrooge! — dizia Bob. — Um brinde ao senhor Scrooge, porque sem ele não teríamos esta festa!

— A ele? — disse a senhora Cratchit. — Francamente... Eu gostaria é que ele pudesse estar aqui na minha frente, para eu poder lhe dizer umas boas verdades que ele anda precisando ouvir. E, quando eu lhe servisse todo o meu cardápio, só quero saber se ele ia gostar do banquete...

— Querida, por favor... — interrompeu Bob. — As crianças... É Natal...

— Eu sei que é dia de Natal — respondeu ela —, pois só mesmo no Natal é que podíamos estar fazendo um brinde e desejando a saúde de um homem tão detestável, mesquinho, avarento, sem sentimentos como o senhor Scrooge. E você sabe disso, Robert! Ninguém sabe disso mais do que você, meu pobre querido!

— Meu bem — foi a resposta —, é dia de Natal.

— Pois então bebo à saúde dele, por sua causa e em honra do Natal — disse ela. — Mas ele não merece. De qualquer modo, que viva por muitos anos, tenha um ótimo Natal e um feliz Ano-Novo. Tenho certeza de que deve ser mesmo muito feliz...

Em seguida, as crianças beberam e se juntaram ao brinde. Naquela noite, foi a primeira coisa que não teve nenhuma alegria. O último a dar seu gole foi o pequeno Tim, sem nenhuma emoção. Scrooge era o bicho-papão da família. A menção de seu nome lançara uma sombra sobre a festa, que levou uns cinco minutos para se dissipar.

Depois que ela passou, ficaram dez vezes mais alegres do que antes, de puro alívio de já terem se livrado da obrigação para com Scrooge, o Maléfico.

Bob Cratchit contou que estava com um emprego à vista para o jovem Peter, que, se desse certo, lhes traria um bom reforço de mais de cinco xelins por semana. Os dois pequenos Cratchit riram muito com a ideia de que Peter ia trabalhar e virar um homem de negócios, e o próprio Peter ficou olhando pensativo para o fogo, de dentro do colarinho emprestado, como se estivesse deliberando que investimentos específicos ia fazer quando recebesse uma remuneração tão expressiva. Marta, que era uma pobre aprendiz de costureira, depois lhes contou o tipo de trabalho que tinha que fazer, e quantas horas trabalhava em cada jornada, e como estava pensando em passar o dia seguinte inteiro na cama para descansar, já que ia ficar o dia todo em casa. Também contou que tinha visto uma condessa e outro nobre uns dias antes e que ele era "tão alto como Peter". Ouvindo isso, Peter ainda puxou o colarinho mais para cima, tão alto que nem dava para ver direito a cara dele. E durante todo esse tempo as castanhas e a jarra passavam de um para outro, e daí a pouco alguém começou a cantar uma canção sobre uma criança viajando na neve, e era o pequeno Tim quem cantava, e a vozinha dele era muito bonita, e ele cantava mesmo muito bem.

Nisso tudo, não havia nada de especial. Não era uma família de gente bonita. Não estavam bem-vestidos, os sapatos estavam longe de ser impermeáveis, as roupas eram gastas, e Peter conhecia bem o interior de uma loja de penhores. Mas estavam felizes, contentes com o que tinham, satisfeitos uns com os outros, alegres com a festa. E quando foram se apagando, parecendo cada vez mais felizes à luz brilhante do archote do espírito, Scrooge não conseguia tirar os olhos deles, principalmente do pequeno Tim.

A essa altura, já estava escurecendo e nevava bastante. Enquanto Scrooge e o espírito seguiam pelas ruas, era maravilhoso o brilho que vinha de todos os fogos acesos nas cozinhas, salas e todo tipo de aposento. Aqui, a luz das chamas mostrava os preparativos para um jantar íntimo, com pratos quentes diante do fogo e cortinas vermelhas prontas para serem puxadas e deixar de fora o frio e a escuridão. Ali, todas as crianças da casa estavam correndo lá para fora, pela neve, para encontrar as irmãs casadas, os irmãos mais velhos, os primos, tios e tias que queriam ser os primeiros a abraçar. Mais adiante, as persianas fechadas mostravam as sombras dos convidados que se reuniam. E, logo depois, um grupo de moças bonitas, de capuzes e botas de pele, passou rindo, saltitando em passo leve e falando alto, em direção à casa de um vizinho, exibindo-se risonhas e resplandecentes — feiticeirinhas que conheciam bem seus encantos — para o rapaz solteiro que as visse entrar.

Mas, a julgar pelo número de pessoas a caminho de reuniões festivas, era de se pensar que não haveria ninguém em casa alguma para recebê-las quando chegassem. E, no entanto, parecia que toda casa estava à espera de convidados, acendendo fogo alto na lareira.

O espírito estava exultante. Expirava seu hálito perfumado sobre todos, abria suas palmas generosas e flutuava derramando seu brilho e sua alegria sobre tudo o que estivesse ao seu alcance. Até mesmo o acendedor de lampiões, que corria adiante pontuando as ruas escuras de pinguinhos de luz, estava vestido de festa, porque ia passar a noite em algum lugar e riu alto quando o espírito passou, sem nem desconfiar que estava sendo acompanhado pelo próprio Natal em pessoa.

E agora, sem uma palavra de aviso do espírito, de repente estavam no meio de um descampado deserto, onde massas monstruosas de pedra rude estavam espallhadas, como se fosse um cemitério de gigantes. Entre elas, a água se espalhava por toda parte, ou se espalharia se não estivesse gelada e presa. Nenhuma vegetação crescia, salvo musgo, limo e algum capim. A oeste, o sol poente tinha deixado uma faixa vermelha viva, que contemplou aquela desolação por um instante, como um olho

inchado, mas foi baixando, baixando, até se perder na tristeza espessa da noite mais escura.

— Que lugar é esse? — perguntou Scrooge.

— Um lugar onde vivem os mineiros, que trabalham nas entranhas da terra — retrucou o espírito. — Mas eles me conhecem. Venha ver!

Vinha uma luz da janela de uma cabana, e os dois caminharam rapidamente em direção a ela. Passando através da parede de pedra e barro, emcontraram um grupo alegre reunido em volta de uma lareira acesa. Uma mulher e um homem muito, muito velhos, com os filhos e os filhos dos filhos, e mais uma geração além dessa, todos com ar de quem estava se divertindo, em suas roupas festivas. O velho, numa voz que raramente conseguia abafar o barulho do vento uivando lá fora na paisagem árida, cantava para eles uma canção de Natal, que já era muito velha quando ele era criança. De vez em quando, todos cantavam juntos o estribilho. E, sempre que cantavam em coro, a voz do velho ficava mais forte, mas, toda vez que paravam, seu vigor diminuía outra vez.

O espírito não se deteve ali e, mandando que Scrooge segurasse sua túnica, passou por cima do descampado. Para onde? Será que era para o mar? Isso mesmo, para o mar. Scrooge ficou horrorizado quando olhou para trás e viu o final da terra, uma fileira de pedras assustadoras, tudo ficando longe, às costas deles. Seus ouvidos ficaram surdos com o barulho das ondas, quebrando-se com estrépito e rugindo dentro das cavernas que elas mesmas tinham cavado nas pedras, e agora tentando solapar a própria terra, com toda a força.

A uns seis quilômetros da costa, mais ou menos, construído sobre um rochedo solitário em meio a pedras submersas, batido sem cessar pelas águas selvagens o ano todo, havia um farol solitário. Grandes tufos de algas estavam presos à sua base. E as procelárias, as da tempestade — que pareciam vir trazidas pelo vento, como as algas eram trazidas pelas águas —, se erguiam e mergulhavam em volta dele, como as ondas que tocavam.

Mas, mesmo ali, dois homens que tomavam conta do farol tinham acendido um fogo que, pela vigia da espessa parede de pedra, lançava um raio brilhante sobre o mar terrível. Juntando suas mãos calosas por cima da mesa rústica junto à qual estavam sentados, desejaram-se Feliz Natal e brindaram com uma caneca de grogue. E um deles, também o mais velho, com a cara toda enrugada e marcada de cicatrizes pelo mau tempo, como se fosse a figura de proa de um velho navio, entoava uma canção que mais parecia outra tempestade.

Mas novamente o espírito prosseguiu, foi em frente, sobre o mar escuro e agitado, adiante, adiante, até que, estando muito longe do litoral, como disse a Scrooge, pousaram num navio.

Pararam ao lado do marinheiro que estava no leme, do menino que estava na gávea, dos oficiais que estavam de serviço naquela hora. Todos eram vultos escuros e fantasmagóricos no meio da noite. Mas cada um assoviava uma canção de Natal, ou tinha um pensamento de Natal, ou conversava com um companheiro sobre alguma lembrança de um Natal que já passara muito tempo antes, com saudades. E cada um dos homens a bordo, dormindo ou acordado, bom ou mau, tinha naquele dia uma palavra mais amiga para os outros do que em qualquer outro dia do ano, tinha participado de alguma forma das comemorações, tinha se lembrado das pessoas de quem gostava e que estavam distantes, e tinha sabido que elas também pensavam nele.

Enquanto Scrooge ouvia o lamento do vento e pensava em como era solene essa experiência de se mover em meio à escuridão solitária sobre um abismo desconhecido, cujas profundezas eram segredos tão profundos quanto a própria Morte, foi surpreendido com o som inesperado de uma boa gargalhada. E ficou mais espantado ainda quando reconheceu que era a gargalhada de seu próprio sobrinho, e quando viu que estava num aposento seco, claro e iluminado, com o espírito sorridente a seu lado, olhando para o mesmo sobrinho com ar de aprovação.

— Rá, rá! — ria o sobrinho. — Rá, rá, rá!

Se por um acaso — o que eu acho muito pouco provável — você conhecer um homem com uma gargalhada mais escandalosa do que o sobrinho de Scrooge, só posso dizer que também gostaria de conhecer. Pode me apresentar.

Uma coisa justa e bem equilibrada nesta vida é que, se por um lado existe o risco de infecção na doença e na dor, também não existe nada no mundo que seja tão irresistivelmente contagioso como o riso e o bom humor.

Quando o sobrinho de Scrooge caiu na gargalhada desse jeito, segurando o lado da barriga, rolando a cabeça e torcendo o rosto nas mais extravagantes contrações, a mulher dele, sobrinha de Scrooge por afinidade, não conseguiu resistir e começou a rir tanto quanto ele. E todos os amigos que estavam juntos, para não ficarem atrás, também riam, fazendo o maior escândalo.

— Rá, rá, rá, rá!

— Palavra! É verdade! Ele disse mesmo que o Natal era uma bobajada! Disparates... — exclamou o sobrinho de Scrooge. — E eu acredito que ele acha mesmo que é...

— Mais uma vergonha para ele, Fred... — disse a sobrinha de Scrooge, indignada.

Benditas mulheres, elas nunca deixam pela metade, dizem sempre o que cada coisa é.

Ela era muito bonita. Belíssima, mesmo. Tinha um rosto encantador, com covinhas, uma boquinha madura que parecia ter sido feita de propósito para ser beijada — e devia ser mesmo. E tinha umas pintinhas no queixo, que se juntavam quando ela ria. E o par de olhos mais claros que jamais se viu no rosto de qualquer criaturinha. O conjunto talvez fosse o que chamariam de provocador, sabe?, mas muito satisfatório, sem dúvida alguma, muito satisfatório.

— Ele é um velho engraçado — disse o sobrinho de Scrooge —, essa é que é a verdade. E nem um pouco simpático, como podia ser. Mas suas ofensas trazem consigo seu próprio castigo, e eu não tenho o que dizer contra ele.

— Bom, tenho certeza de que ele é muito rico — insinuou a sobrinha de Scrooge. — Pelo menos, é o que você me diz.

— Mas de que adianta, minha querida? — disse o sobrinho. — Toda a riqueza não lhe serve de nada. Ele não a usa para nada bom, nada que valha a pena. Nem ao menos a emprega para tornar sua própria vida mais confortável. E não tem nem ao menos a satisfação de pensar, rá, rá, rá!, que um dia nós é que vamos nos beneficiar com essa fortuna!

— Não tenho a menor paciência com ele — retrucou a sobrinha.

As irmãs dela, e todas as outras senhoras presentes, manifestaram a mesma opinião.

— Pois eu tenho — disse o sobrinho de Scrooge. — E tenho pena dele, muita. Mesmo que quisesse, não conseguiria ficar zangado com ele. Quem é que sofre com toda a rabugice e a mesquinharia dele? Ele, só ele mesmo, sempre. Por exemplo, botou na cabeça que não gosta da gente e se recusa a vir passar o Natal aqui e cear conosco. Qual é a consequência disso? Quem perde o jantar é ele...

E, numa implicância carinhosa, completou:

— Verdade que não é nenhuma maravilha de jantar...

— Pois eu acho que ele está perdendo um excelente jantar — interrompeu a sobrinha.

Todo mundo repetiu a mesma coisa, e deve-se reconhecer que se tratava de juízes competentes, porque tinham todos acabado de jantar e a sobremesa estava sobre a mesa, enquanto se reuniam em volta da lareira, à luz dos lampiões.

— Fico muito contente de saber dessa opinião — disse o sobrinho — porque confesso que não tinha muita confiança nessas empregadas tão jovenzinhas. O que é que você diz, Topper?

Topper estava de olho numa das irmãs da sobrinha de Scrooge e aproveitou para dizer que um solteirão era um pobre marginal, não entendia nada desses assuntos e não tinha direito algum a manifestar sua opinião sobre a questão. Ouvindo isso, a irmã da sobrinha de Scrooge — não a que estava enfeitada com rosas, mas a mais rechonchuda, com o lenço de renda — ficou vermelhinha.

— Continue, Fred, não mude de assunto! — insistiu a sobrinha, batendo palmas. — Ele nunca acaba o que começa a dizer, é uma coisa irritante...

O sobrinho de Scrooge deliciou-se outra vez com uma gargalhada estrepitosa, e era impossível não ser infectado por seu contágio. E, embora a irmã rechonchudinha tentasse ficar séria cheirando vinagre aromático, o exemplo dele acabou sendo seguido, por unanimidade.

— Eu só ia dizer — prosseguiu o sobrinho — que a consequência do fato de ele resolver não gostar da gente e não querer vir se divertir conosco é apenas uma, em minha opinião: ele perde alguns momentos muito agradáveis que não iam lhe fazer mal nenhum. Tenho certeza de que ele está se privando de uma companhia muito mais agradável do que a que pode encontrar em seus próprios pensamentos, seja naquele velho escritório cheirando a mofo, seja naqueles aposentos empoeirados onde vive. E eu pretendo continuar dando a ele a mesma oportunidade de vir todo ano. Não faz mal se ele gosta ou não gosta, eu tenho pena dele. Ele pode implicar com o Natal até morrer, mas vai acabar não aguentando e achando essa época do ano um pouquinho melhor do que pensava (disso eu tenho certeza, aposto com quem quiser) se constatar que lá vou eu visitá-lo, de bom humor e todo contente, ano após ano, só para dizer a mesma coisa: "Tio Scrooge, como tem passado?" E, se isso fizer com que ele amoleça só um pouquinho e lhe dê na veneta deixar umas cinquenta libras no testamento para o coitado daquele empregado dele, então já é uma vitória. E devo dizer que acho que ontem eu o abalei um pouquinho.

Aí foi que todos caíram na risada, imaginando Scrooge um pouquinho abalado. Mas também eles estavam dispostos a rir de qualquer coisa e se divertiam muito. Para encorajar ainda mais as gargalhadas, ele fez a garrafa circular, satisfeito.

No fim, depois de tomarem chá, houve uma sessão de música. Era uma família muito musical e, quando se dedicavam a uma canção ou uma pequena peça, cantavam e tocavam muito bem. Principalmente Topper, que tocava a rabeca como um músico dos bons, sem que as veias de sua testa nunca ficassem saltadas e sem ficar com o rosto vermelhão por causa do esforço. A sobrinha de Scrooge tocava a harpa bem. E, entre outras coisas, tocou uma melodiazinha (uma coisa à toa, dessas que se aprende a assoviar em dois minutos) que já fazia parte do repertório da criança que costumava ir buscar Scrooge no colégio interno, como havia pouco lhe lembrara o Espírito dos Natais Passados.

Quando os sons dessa música foram tocados, vieram a sua mente todas as coisas que aquele fantasma lhe havia mostrado, e ele foi amolecendo cada vez mais. Pensou que, se tivesse ouvido aquela melodia mais vezes e com mais atenção, anos antes, podia ter cultivado as doçuras da vida para sua própria felicidade, com suas próprias mãos, sem ter que ficar limitado apenas à pá do sacristão na hora de seu enterro, como Jacob Marley.

Mas não dedicaram todo o resto da noite à música. Passaram depois aos jogos de prendas. Porque é bom ser criança de vez em quando e brincar. E nunca é melhor do que no Natal, quando o próprio Criador todo-poderoso resolveu virar criança. Depois, brincaram de cabra-cega, claro. E eu não acho que Topper estava mesmo sem enxergar nada, acho até que ele tinha olhos nas botas. Para falar a verdade, minha opinião é que ele e o sobrinho de Scrooge já tinham combinado tudo, e que o Espírito do Natal Presente sabia disso. O jeito com que ele saiu direto atrás da irmã rechonchuda com o lenço de renda era um ultraje à credulidade da natureza humana.

Esbarrando nos ferros de atiçar o fogo da lareira, derrubando cadeiras, contornando o piano, enrolando-se nas cortinas, onde quer que ela fosse, lá ia ele atrás. Sempre sabia onde estava a irmã gordinha. E não apanhava mais ninguém. Você podia cair por cima dele, como aconteceu com alguns, e ficar ali parado, imóvel. Ele então fazia um gesto fingido, de quem estava tentando pegar você, que era uma afronta à sua inteligência. E imediatamente se desviava, indo na direção exata da irmã rechonchuda. Várias vezes ela gritou que aquilo não era justo. E não era mesmo. Mas quando, finalmente, ele a agarrou, quando apesar de todo o barulho da seda que farfalhava, roçando por ele quando ela se esgueirava, e das rápidas escapadas anteriores dela, ele finalmente a encurralou num cantinho de onde não dava para fugir, comportou-se da maneira mais execrável possível. Fez de conta que não a tinha reconhecido e não sabia quem era. Fingiu que era preciso tatear todo o penteado dela para descobrir. Mais que isso, continuou investigando para ter certeza de quem era, apertou um certo anel num certo dedo, um certo cordão no pescoço dela. Foi vil, monstruoso! E com certeza ela disse tudo isso a ele, porque a essa altura já havia outra pessoa vendada fazendo as vezes de cabra-cega, e os dois podiam ficar fazendo confidências atrás de uma cortina.

A sobrinha de Scrooge não estava participando da brincadeira de cabra-cega e ficou confortavelmente sentada numa poltrona num canto, com os pés num banquinho. Scrooge e o espírito estavam bem ao seu lado. Mas na hora das prendas ela se juntara ao grupo e jogava muito bem. Também era ótima num jogo chamado Como, Quando e Onde, e derrotou de longe as irmãs, para a alegria secreta do sobrinho de Scrooge. Mas elas também eram espertas, como Topper podia garantir. Havia umas vinte pessoas reunidas, entre mais velhos e mais jovens, e todos tomavam parte nos jogos. Até mesmo Scrooge, que ficou tão interessado no que se passava que acabou esquecendo que ninguém ouvia a voz dele e às vezes gritava bem alto seu palpite. E muitas vezes acertava, porque não existia mente mais aguda do que a sua, embora muitas vezes costumasse se fazer de bobo para enganar os outros.

O espírito ficou muito satisfeito por vê-lo com essa disposição e o olhou com tanta simpatia que Scrooge agiu como se fosse um menino, pedindo para ficar até que os convidados fossem embora. Mas o espectro disse que era impossível.

— Eles vão começar outro jogo — disse Scrooge. — Deixe só uma meia hora, espírito, umazinha só...

Era um jogo chamado Sim e Não. O sobrinho de Scrooge tinha que pensar em alguma coisa, e os outros tinham que adivinhar o que era, mas ele só podia responder às perguntas deles com um sim ou um não, dependendo do caso.

O fogo cruzado de perguntas a que ele se expôs acabou arrancando dele que estava pensando num animal, um animal vivo, um animal bastante desagradável, um animal selvagem, um animal que grunhia e rugia, e às vezes falava, morava em Londres, andava pelas ruas, não fazia parte de nenhum espetáculo, não era de ninguém, não morava no zoológico, nunca era morto no mercado para virar carne, não era cavalo, nem burro, nem vaca, nem touro, nem tigre, nem cachorro, nem porco, nem gato, nem urso. A cada nova pergunta que lhe faziam, o sobrinho caía na gargalhada, e ia achando tanta graça que já estava ficando sem ar, teve que se levantar do sofá e ficar em pé. Finalmente, a irmã rechonchuda caiu num estado semelhante e, entre risadas, exclamou:

— Descobri! Já sei o que é, Fred, já sei!

— E o que é? — perguntou Fred.

— É o seu tio SCROOGE!

E era mesmo. Todos ficaram admirados, embora alguém tivesse reclamado que a resposta a "é um urso?" devia ter sido "sim", porque uma resposta negativa deu uma pista errada e não deixou ninguém pensar no senhor Scrooge, se é que alguém iria seguir por esse caminho.

— Ele acabou nos divertindo tanto — disse Fred — que tenho certeza de que devemos ser gratos e fazer um brinde à sua saúde. E aqui vai mais uma taça de vinho para cada um, ao tio Scrooge!

— Muito bem! Ao tio Scrooge! — exclamaram todos. — Viva o tio Scrooge!

— Um Feliz Natal e um ótimo Ano-Novo para o velho, mesmo que ele não queira! — brindou o sobrinho de Scrooge. — Ele não quis aceitar meus votos de felicidades, mas vamos repetir mesmo assim. Ao tio Scrooge!

O tio Scrooge a essa altura já estava de coração tão leve e alegre que era capaz de brindar a todos, de volta, e de agradecer com um discurso que ninguém ouviria. Mas o fantasma não lhe deu tempo. A cena toda sumiu, com a última palavra dita pelo sobrinho.

Ele e o espírito estavam viajando de novo.

Viram muita coisa, foram muito longe, visitaram muitas casas, sempre com um final feliz. O espírito parou junto a camas de doentes, e eles estavam alegres. Junto a homens que tinham ido para o estrangeiro, e mesmo assim se sentiam em casa. Junto a homens que lutavam, e eles estavam pacientes e esperançosos. Na pobreza, e ela era rica. Nos asilos, hospitais e cadeias, em cada refúgio da miséria humana, em cada lugar onde a pouca autoridade humana não tivesse mandado trancar as portas e barrar o Espírito do Natal do lado de fora, ele deixou sua bênção, e ensinou a Scrooge seus preceitos.

Foi uma noite comprida — se é que foi só uma noite. Mas isso era algo de que Scrooge duvidava, porque parecia que todas as comemorações de Natal e de fim de ano estavam condensadas no espaço de tempo que passaram juntos. E também era estranho que, enquanto Scrooge permanecia inalterado em sua forma exterior, o fantasma envelhecia a olhos vistos. Scrooge observara isso, mas não disse nada, até que eles estavam saindo de uma festa de crianças no Dia de Reis e, ao olhar para o espírito quando pararam num lugar aberto, viu que o cabelo dele estava grisalho.

— As vidas dos espíritos são tão curtas? — perguntou.

— Minha vida nesta terra é, sim — respondeu o fantasma. — Acaba esta noite.

— Esta noite?

— Esta noite, à meia-noite. Vamos! Temos pouco tempo!

Bem nessa hora, o sino estava batendo quinze para a meia-noite.

— Perdoe-me se estou enganado — disse Scrooge de repente, olhando a túnica do espírito —, mas estou vendo alguma coisa muito estranha, e que não é sua, saindo de debaixo de sua roupa. Parece um pé ou uma espécie de garra!

— E podia mesmo ser uma garra, mas coberta de carne — foi a triste resposta do espírito. — Veja.

Tirou duas crianças, que estavam escondidas debaixo da túnica. Esqueléticas, abjetas, assustadoras, medonhas, miseráveis. Ajoelharam-se a seus pés, agarrando a bainha da roupa.

— Olhe, homem! Olhe aqui para baixo! — exclamou o espírito.

Eram um menino e uma menina. Amarelos, magérrimos, de olhos fundos, com ar famélico. E também prostrados, quase desmaiando, em sua humildade. Onde a graça da infância deveria ter enchido suas feições, colorindo-os com suas tintas vivas, uma mão podre e encarquilhada, como a da idade, os beliscara e retorcera, rasgando-os em farrapos. Onde anjos podiam estar sentados em seus tronos, espreitavam demônios, encarando, ameaçadores. Nenhuma transformação, nenhuma degradação, nenhuma outra perversão da humanidade, em grau algum,

através de todos os mistérios da criação maravilhosa, produzira monstros tão assustadores e terríveis.

Scrooge recuou, apavorado. Achava que devia dizer que eram crianças bonitas, já que lhe estavam sendo mostradas assim, dessa maneira, mas as palavras não saíam e se recusavam a fazer parte de uma mentira de tamanha magnitude.

— Espírito! São seus filhos? — foi a única coisa que Scrooge conseguiu dizer.

— São os filhos do Homem — disse o espírito, olhando as crianças. — E se grudam em mim, pedindo socorro. O menino é a Ignorância. A menina é a Necessidade. Cuidado com os dois, em todas as suas formas, principalmente com o menino, pois em sua testa traz escrita a Destruição.

Estendendo o braço em direção à cidade, o espírito prosseguiu, solene, falando com ela:

— Nega essa maldição, se te atreveres! Persegue os que a anunciam! Finge admiti-la, só para teus propósitos nefandos, e piora ainda mais teu destino! Mas treme diante dela! Porque é o fim que te espera!

— Mas eles não têm para onde ir? Não há nenhum recurso? — perguntou Scrooge.

— Não há prisões? — disse o espírito, dirigindo-se a ele pela última vez, e utilizando suas próprias palavras. — Não há casas para trabalhos forçados?

O relógio deu doze badaladas.

Scrooge procurou o fantasma e não o viu mais.

Quando cessou a vibração da última batida, lembrou-se do que anunciara o velho Jacob Marley. Erguendo os olhos, contemplou um fantasma solene, enrolado numa túnica e coberto com um capuz, que vinha em sua direção, como uma neblina se elevando do chão.

IV

O último dos espíritos

O fantasma se aproximou, devagar, grave, solene. Quando chegou perto, Scrooge se ajoelhou, pois o próprio ar em que o espírito se movia parecia semear ameaça e mistério.

Estava enrolado numa roupa preta e ampla que escondia sua cabeça, seu rosto, sua forma e não deixava nada visível, a não ser uma mão estendida. Se não fosse por isso, seria difícil distinguir o vulto da escuridão que o cercava.

Quando ele se aproximou, Scrooge sentiu que era alto e imponente, e que sua misteriosa presença o enchia de um pavor solene. Mas não soube mais nada, porque o espírito não se moveu nem falou.

— Estou em presença do Espírito dos Natais Futuros, dos que ainda virão? — perguntou.

O espectro não respondeu, mas apontou para baixo com a mão.

— E você agora vai me mostrar as sombras de coisas que ainda não aconteceram e que vão acontecer no tempo que se estende diante de nós — prosseguiu Scrooge. — É isso, espírito?

A parte superior da roupa se contraiu por um instante em suas dobras, como se o espírito tivesse inclinado a cabeça. Foi a única resposta que ele teve.

Embora a essa altura já estivesse bem acostumado com a companhia de fantasmas, Scrooge ficou com tanto medo do vulto silencioso que sentiu suas pernas tremendo e descobriu que mal conseguia ficar de pé, quando se preparou para segui-lo.

O espírito parou e esperou durante algum tempo, como se estivesse observando sua condição e estivesse lhe dando tempo para se recuperar.

Mas isso só fez Scrooge piorar. Saber que por trás daquela forma escura havia os olhos de um fantasma intensamente fixados nele era uma coisa que só o enchia ainda de mais terror, um medo difuso e vago, que ainda aumentou quando ele forçou seus próprios olhos o mais que pôde e não conseguiu distinguir nada, a não ser uma mão espectral e um grande vulto inteiramente negro.

— Fantasma do Futuro! — disse. — Tenho muito mais medo de você do que de qualquer dos outros espectros que já vi. Mas sei que sua promessa é me fazer bem, e espero viver para poder ser um homem diferente do que fui. Por isso, estou disposto a suportar sua companhia e a me sentir grato pela oportunidade. Você não vai falar comigo?

Não houve resposta. A mão apenas apontou direto para adiante.

— Pois então me leve — disse Scrooge. — Mostre o caminho! A noite está passando depressa, e eu sei que meu tempo é muito precioso. Leve-me, espírito!

O fantasma se afastou com o mesmo tipo de movimento com que se aproximara. Scrooge foi seguindo a sombra de sua túnica e achou que ela o carregava e transportava.

Mal parecia que tinham entrado na cidade. Em vez disso, parecia que a cidade crescia em volta deles e os rodeava por sua própria vontade. Mas, num instante, estavam bem no coração dela, na Bolsa, entre os homens de negócios. Eram pessoas apressadas, que faziam tilintar o dinheiro nos bolsos, conversavam em grupos, olhavam o relógio a toda hora e brincavam pensativos com seus grandes sinetes de ouro. Tudo como Scrooge conhecia bem e já tinha visto tantas vezes.

O espírito parou ao lado de um desses grupinhos. Observando que a mão apontava para eles, Scrooge se adiantou para ouvir o que estavam dizendo.

— Não! — dizia um sujeito gordo, com um queixo monstruoso. — Não sei muitos detalhes, de qualquer modo. Só sei que ele morreu.

— Mas quando? — perguntou outro.

— Acho que a noite passada.

— Mas de quê? Teve algum problema? — perguntou um terceiro, tirando uma boa pitada de rapé de uma tabaqueira bem grande. — Eu achava que ele não ia morrer nunca.

— Só Deus sabe... — disse o primeiro, com um bocejo.

— E o que foi que ele fez com o dinheiro dele? — perguntou um cavalheiro de cara vermelha e uma excrescência pendular na ponta do nariz, que sacudia como se fosse uma crista de peru.

— Isso eu não sei — disse o homem do queixo enorme, bocejando de novo. — Provavelmente deixou para a firma. Para mim é que não deixou, disso eu tenho certeza.

A piada foi recebida com gargalhadas gerais.

— Deve ser um enterro muito barato — disse o mesmo homem. — Posso apostar que não vão precisar alugar muitas carruagens de luto, porque não conheço ninguém que pretenda ir. Que tal se organizássemos um grupo e nos apresentássemos como voluntários?

— Eu não me incomodo, se derem um almoço grátis — observou o cavalheiro da excrescência no nariz. — Preciso que me alimentem, se quiserem que eu vá.

Todos riram de novo.

— Bom, acho que devo ser o mais desinteressado de vocês todos — disse o que tinha falado primeiro — porque nunca uso luvas pretas e não costumo almoçar. Mas me ofereço para ir, se mais alguém for comigo. Pensando bem, talvez eu fosse seu maior amigo, porque costumávamos parar e trocar umas palavras sempre que nos encontrávamos. Até a vista, senhores.

E, com essas palavras, quem falava e quem ouvia se afastou, e todos saíram para se misturar com outros grupos. Scrooge conhecia os homens e olhou para o espírito, como quem pede uma explicação.

O fantasma deslizou para uma rua. Seu dedo apontou para duas pessoas que se encontravam. Scrooge ouviu de novo, imaginando que ali poderia estar a explicação.

Também conhecia esses dois homens perfeitamente. Eram financistas, muito ricos, muito importantes. Sempre fizera o possível para manter seu prestígio elevado com eles — quer dizer, desde um ponto de vista dos negócios, estritamente no interesse dos negócios.

— Como vai? — perguntou o primeiro.

— Bem, e você? — respondeu o outro.

— Bem, também. Mas o velho pão-duro, finalmente, esticou as canelas, hein?

— Pois é, ouvi dizer — disse o segundo. — Está fazendo um frio, não acha?

— É, mas afinal é Natal, era de se esperar... Você não vai aproveitar para patinar, vai?

— Não, não, tenho mais o que fazer. Bom dia!

Nem uma palavra mais. Isso foi todo o encontro, toda a conversa, toda a despedida.

Scrooge primeiro ficou espantado ao perceber que o espírito atribuía tanta importância a umas conversas aparentemente tão banais. Mas, como tinha certeza de que deveria haver nisso algum propósito oculto, começou a refletir e considerar, vendo se descobria o que poderia ser. Não podiam estar se referindo à morte de Jacob, seu velho sócio, porque isso ocorrera no Passado e o território desse fantasma era o Futuro. Nem conseguia pensar em ninguém que tivesse alguma relação próxima com ele e a quem os comentários pudessem se aplicar.

Mas não tinha dúvidas de que, fosse lá a quem fosse que se aplicavam, na certa guardavam alguma moral latente para sua edificação. Resolveu guardar como um tesouro cada palavra que ouvisse e cada cena a que assistisse. E, principalmente, observar a sombra de si mesmo quando ela aparecesse. Pois tinha a esperança de que a conduta de seu futuro iria dar-lhe a pista que faltava, tornando mais fácil a solução de todos esses enigmas.

Olhou em volta, no lugar onde estavam, à procura de sua imagem, mas outro homem estava no canto onde sempre costumava ficar. E, embora os ponteiros do relógio estivessem marcando uma hora em que sempre estava ali, não viu na multidão que passava pela porta e entrava no recinto ninguém com suas feições ou alguma semelhança.

Porém não se surpreendeu. Andava revirando na cabeça a ideia de mudar de vida. Achou que o que estava vendo era a execução dessa sua decisão recém-nascida.

A seu lado estava o fantasma, silencioso e escuro, com a mão estendida. Quando Scrooge voltou a si de todos esses seus pensamentos, achou que o jeito da cabeça e a localização geral do vulto em relação a si indicavam que os Olhos Invisíveis estavam fixamente postos nele. Teve um calafrio e se sentiu arrepiar.

Saíram daquele ambiente agitado e foram para uma parte sombria da cidade, em que Scrooge nunca havia penetrado, embora conhecesse onde ficava e sua péssima reputação. Os becos eram imundos e estreitos. As casas e lojas caíam aos pedaços. As pessoas eram maltrapilhas, malcalçadas, bêbadas, hediondas. Travessas e portais, bem como inúmeras poças, exalavam suas ofensas ao olfato e vomitavam sua sujeira pelas ruas. O bairro todo fedia — recendia a crime, imundície, miséria.

Pois nesse antro infame havia uma loja de teto baixo, sob um telhado inclinado, como uma caverna, onde se comprava ferro-velho, trapos, garrafas vazias, ossos e restos de pelancas dos açougues. Lá dentro, no chão, havia pilhas de chaves, pregos, ganchos, gonzos, correntes, balanças, pesos, todo tipo de sucata. Segredos que poucos gostariam de procurar se escondiam em montanhas de farrapos, massas de sebo estragado, sepulcros de ossos. Sentado no meio das mercadorias que constituíam seu comércio, ao lado de um fogareiro a carvão, feito de tijolos velhos, estava um sujeito grisalho, que devia ter seus setenta anos e que se protegia da correnteza fria lá de fora com uma cortina de molambos pendurados num barbante. No luxo desse seu retiro tranquilo, calmamente fumava seu cachimbo.

Scrooge e o fantasma chegaram à presença desse homem justamente quando uma mulher com uma trouxa pesada entrava na loja. Mal ela tinha entrado, outra mulher, com uma carga semelhante, entrou também. E foi logo seguida por um homem, numa roupa preta desbotada, que ficou tão espantado de ver as duas ali como cada uma delas mostrava ter ficado ao reconhecer os outros. Após um curto período de espanto mútuo e silencioso, em que o velho com o cachimbo se juntou a eles, os três caíram na gargalhada.

— Pode deixar a diarista ir em primeiro lugar! — exclamou a mulher que tinha entrado primeiro. — Depois é a vez da lavadeira, depois vem o papa-defunto... Veja só, velho Joe, se não é uma coincidência... Nós três nos encontrarmos aqui sem termos combinado nada...

— Não podiam ter lugar melhor para um encontro — disse o velho, tirando da boca o cachimbo. — Passe para o salão. Há muito tempo que você vai mesmo lá, e os outros dois não são estranhos. Esperem um pouco enquanto eu fecho a porta da rua. Puxa, como range! Não tem nenhum pedacinho de metal aqui dentro que seja tão enferrujado como esses gonzos, aposto. Mas também não tem nenhum osso mais velho do que os meus. Nós combinamos muito bem. Pronto, venham para o salão, venham para o salão.

O salão era o espaço do outro lado da cortina de trapos. O velho atiçou o fogo com um pedaço velho de corrimão, espevitou a lamparina — porque era de noite — com o tubo do cachimbo e voltou a fumar.

Enquanto isso, a mulher que já tinha falado jogou a trouxa no chão e se sentou de qualquer jeito num banquinho. Depois, cruzou as pernas e os braços e ficou olhando os outros dois, com ar de desafio.

— Mas o que há, senhora Dilber? — disse a mulher. — Todo mundo tem o direito de se defender. Ele sempre fez isso...

— É verdade — disse a lavadeira. — Ninguém no mundo se defendeu mais do que ele.

— Pois, então, não fique aí parada, olhando para mim como se estivesse com medo, mulher. Alguém aqui é melhor do que os outros? Não vamos começar a brigar, vamos?

— Claro que não! — disseram juntos a senhora Dilber e o homem. — De jeito nenhum!

— Muito bem, então! — disse a mulher. — Chega! A quem vão fazer falta essas bugigangas? Ao morto é que não é...

— Não vão mesmo... — disse a senhora Dilber, rindo.

— E ele queria ficar com elas depois de morto, o unha de fome. Por que é que não foi mais normal quando estava vivo? — continuou a mulher. — Se fosse, tinha tido alguém para estar com ele quando teve o ataque e a morte veio buscá-lo, em vez de ficar lá sozinho, ofegando, sem ar, largado até se acabar.

— Tem toda razão — disse a senhora Dilber.

— Eu só queria era que a minha trouxa fosse mais pesada — disse a mulher — e teria sido, se eu tivesse conseguido pôr as mãos em mais alguma coisa. Vamos, Joe, abra a trouxa, e me diga quanto vale. Pode falar a verdade. Eu não tenho medo de ser a primeira, nem de que eles vejam o que eu peguei. Mesmo antes da gente se encontrar aqui, cada um sabia que o outro estava pegando o que podia. Não é pecado nenhum. Abra a trouxa, Joe.

Mas a delicadeza de seus amigos não permitiu. O homem de preto desbotado se adiantou e mostrou seu espólio antes. Não era grande coisa. Um ou dois berloques, um estojo de lápis, um par de abotoaduras e um broche quase sem valor. Foram examinados com cuidado e avaliados por Joe, que foi escrevendo com giz na parede a soma que estava disposto a dar a cada peça e depois, quando viu que não vinha mais nada, somou tudo e chegou a um total.

— É a sua conta — disse Joe —, e nem que se me fervessem no azeite eu podia dar mais um tostão. Quem é o próximo?

Era a senhora Dilber. Lençóis e toalhas, um terno, duas colherinhas de prata fora de moda, umas pinças para açúcar e umas botas. A conta dela foi feita na parede, da mesma forma.

— Sempre dou demais às senhoras, é minha fraqueza, e vou acabar me arruinando por causa disso — afirmou o velho Joe. — Aqui está sua conta. E se a senhora me pedisse mais, e fizesse muita questão disso, eu ia me arrepender de ter sido tão liberal e acabava baixando o preço em meia-coroa.

— Agora, desmanche a minha trouxa, Joe — disse a primeira mulher.

Joe se ajoelhou, para facilitar o trabalho. Depois de desatar vários nós, puxou e desenrolou um embrulho pesado de tecido escuro.

— Como é que se chama isso? Reposteiros? Cortinas de cama?

— Isso mesmo! — respondeu a mulher rindo e se curvando para a frente, com os braços cruzados.

— Você quer dizer que tirou as cortinas da cama dele, com argolas e tudo, enquanto ele estava lá, deitado, morto?

— Claro — disse ela. — E por que não?

— Você nasceu para ficar rica — cumprimentou Joe. — E com toda certeza vai ficar.

— Com toda certeza não vou ficar prendendo minha mão quando ela pode se estender para pegar coisas, só em consideração a um homem como ele foi. Isso eu lhe garanto, Joe — respondeu ela, imperturbável. — Ei, cuidado para não pingar óleo nas cobertas!

— As cobertas dele? A roupa da cama onde ele estava?

— E de quem você queria que fosse? Ele não vai precisar de nada. Duvido que pegue um resfriado no lugar aonde está indo...

— Mas ele não está indo por causa de nada contagioso, nenhuma doença que pegue, hein? — perguntou o velho Joe, parando o que estava fazendo e olhando firme para ela.

— Não se preocupe. Eu não gostava tanto dele ao ponto de ficar por perto para saber, nem para pegar. Está olhando a camisa? Pode olhar até gastar os olhos e não vai encontrar nem um buraquinho, nem uma marca de cerzido. É a melhor camisa que ele tinha, boa mesmo. Iam desperdiçar, se não fosse por mim.

— Como assim, desperdiçar? — perguntou o velho Joe.

— Iam vestir nele para o enterro, tenho certeza — replicou a mulher, rindo. — Aliás, algum idiota chegou a fazer isso, mas eu tirei. Se um saco de estopa não servir para isso, então não serve para nada. Fica até muito bem com o corpo morto. Não dá para ficar mais feio do que estava com essa camisa boa.

Scrooge ouvia o diálogo horrorizado. Enquanto estavam todos ali curvados sobre os despojos, na pouca luz da lamparina do velho, ele os olhava com desprezo e nojo, detestando-os com uma intensidade que não seria maior se fossem um bando de demônios obscenos, negociando o próprio cadáver.

— Rá, rá, rá! — gargalhou a mesma mulher quando o velho Joe pegou um saquinho de flanela com dinheiro dentro e foi separando o ganho de cada um ali mesmo, no chão. — Acabou-se, vocês estão vendo? Ele assustou todo mundo quando estava vivo, mas agora não adianta, quem ganha é a gente! Rá, rá, rá!

— Espírito! — disse Scrooge, tremendo dos pés à cabeça. — Estou entendendo, o caso desse pobre homem podia ser o meu. Do jeito que está agora, minha vida vai acabar assim. Que o céu tenha pena de mim, mas é isso mesmo!

Recuou, aterrorizado, porque a cena tinha mudado e agora ele estava quase encostando numa cama, uma cama nua, sem cortinas, na qual, debaixo de um lençol puído, jazia alguma coisa coberta. Mas, embora fosse um vulto mudo, dava para saber exatamente o que era, tal a eloquência de sua linguagem terrível.

O quarto estava muito escuro, escuro demais para se distinguir qualquer detalhe, embora Scrooge tenha olhado em volta obedecendo a um impulso secreto, ansioso para saber que quarto era aquele. Uma luz pálida que vinha de fora caía diretamente sobre a cama. Iluminado por ela, sozinho e abandonado, sem ninguém que o velasse, chorasse por ele ou se preocupasse, estava o corpo de um homem.

Scrooge lançou um olhar para o fantasma. Sua mão firme apontava a cabeça do morto. A coberta estava tão frouxa que bastaria um leve movimento de um dedo de Scrooge para que se revelasse o rosto. Pensou nisso, seria tão fácil, quis fazer o gesto. Porém não tinha forças para puxar o véu, como não tinha poder para mandar embora o espectro a seu lado.

Ah, Morte fria, fria, rígida, faz aqui teu altar e cobre-o com todos os terrores que te prestam obediência... Pois este é o teu domínio! Mas, quando um morto é amado, reverenciado, honrado, tu não consegues usar um único fio de cabelo de sua cabeça material para teus propósitos medonhos, nem tornar odioso um único de seus traços. O que importa não é que a mão esteja pesada e imóvel, ou que o coração e o pulso não batam. O que conta é que a mão fosse aberta, generosa e verdadeira, que o coração fosse valente, cálido e terno, que o pulso fosse de homem. Nesse caso, Sombra, podes golpear. Só verás as boas ações dele jorrando da ferida, semeando o mundo de vida imortal!

Nenhuma voz pronunciou essas palavras nos ouvidos de Scrooge, mas ele as ouviu quando olhou o leito. E pensou: se esse homem pudesse se levantar agora, quais seriam seus pensamentos? Avareza? Cobiça? Vontade de ter cada vez mais? Tudo isso lhe trouxe um fim dos mais ricos, realmente...

Lá estava ele agora, na casa escura e vazia, sem um homem, mulher ou criança que dissesse "Ele foi tão bom para mim, nisso ou naquilo" e "Em memória de suas palavras amáveis, agora me ocupo dele". Um gato arranhava a porta. Vinha um barulho de ratos roendo atrás da pedra da lareira. O que eles podiam querer nos aposentos da morte, ou por que estavam tão inquietos e perturbados, era coisa que Scrooge não sabia.

— Espírito! — pediu. — Este lugar é terrível. Pode ter certeza: quando sair daqui, terei aprendido a lição. Mas não tenho forças, espírito, não tenho forças...

Mais uma vez, parecia que estava sendo olhado.

— Se houver alguém nesta cidade que sinta alguma emoção com a morte desse homem — disse Scrooge numa agonia —, eu lhe imploro, mostre essa pessoa.

O fantasma abriu à sua frente a túnica escura por um instante, como se estivesse abrindo as asas. Quando a fechou, revelou um quarto à luz do dia, onde estavam uma mulher e seus filhos.

Ela estava esperando alguém, com evidente ansiedade. Andava de um lado para outro do quarto, sobressaltava-se com cada ruído, olhava lá para fora pela janela, vigiava o relógio. Tentava inutilmente se distrair com um bordado. E mal aguentava ouvir as vozes das crianças que estavam brincando.

Finalmente, ouviu-se na porta a batida que ela tanto esperava. Correu ao encontro do marido, um homem de feições preocupadas e pessimistas, embora jovem. Havia nelas agora uma expressão de alívio e delícia de que ele se envergonhava e que tentava reprimir.

Sentou-se para o jantar que esperava por ele no fogo. E quando, com voz sumida, ela lhe perguntou quais eram as novidades, ele pareceu embaraçado, sem saber o que responder.

— São boas ou más? — perguntou ela, tentando ajudar.

— Más.

— Então estamos arruinados?

— Não, Caroline, ainda há esperança...

— Se ele aliviar um pouco a pressão — disse ela, espantada — pode haver. É difícil, ele não é assim. Mas pode acontecer um milagre, quem sabe? Enquanto há vida, há esperança...

— Ele não está mais em condições de aliviar pressão nenhuma — disse o marido. — Acaba de morrer.

A julgar pelo rosto dela, era uma criatura doce e paciente. Mas, no fundo de sua alma, deu graças a Deus ao ouvir isso. E disse o que estava sentindo, com as mãos juntas. No momento seguinte, arrependeu-se e pediu a Deus que a perdoasse. Mas foi aquela a primeira emoção de seu coração.

— Afinal de contas, era verdade o que aquela mulher meio bêbada me disse ontem quando eu tentei vê-lo para conseguir mais uma semana de prazo. E o que eu achei que era só uma desculpa para não me receber, era mesmo o que estava acontecendo. Naquela hora, não só ele estava muito doente, mas estava morrendo.

— Para quem vai ser transferida a nossa dívida?

— Não sei. Mas, antes disso, nós vamos ter o dinheiro para pagar. E, mesmo que não tivéssemos, era preciso muito azar para encontrar outro credor tão sem compreensão nem piedade. Hoje podemos dormir de coração leve, Caroline!

Era isso mesmo. Por mais que não quisessem admitir, tinham ficado felizes, mais leves. Até as crianças perceberam e sentiram, juntando-se em volta deles com seus rostinhos brilhantes, ouvindo coisas que não entendiam. A casa toda ficou mais feliz por causa da morte daquele homem! A única emoção que o fantasma podia mostrar, causada pelo evento, era de prazer.

— Quero ver alguma ternura ligada a uma morte — disse Scrooge. — Senão, aquele quarto escuro de que nos afastamos há pouco vai estar para sempre presente na minha lembrança.

O espírito o levou por várias ruas que lhe eram familiares. Enquanto caminhavam, Scrooge olhava para os lados, tentando ver a si mesmo, mas não estava em lugar algum.

Finalmente, entraram na casa de Bob Cratchit, a mesma que ele visitara antes. A mãe e as crianças estavam sentadas em volta do fogo.

Silêncio. Muito silêncio. Mesmo os pequenos Cratchit, tão barulhentos e levados, estavam imóveis como estátuas num canto, olhando para Peter, que tinha um livro à sua frente. A mãe e as filhas costuravam, mas tudo estava quieto demais.

— E ele pegou uma criança e a mandou para o meio deles...

Onde Scrooge tinha ouvido essas palavras? Não tinha sonhado. O rapaz devia ter lido em voz alta, enquanto ele e o espírito se aproximavam. Por que não continuou?

A mãe pousou o trabalho na mesa e pôs a mão no rosto.

— Acho que as cores estão incomodando meus olhos... — disse.

As cores? Ah, coitadinho do pequeno Tim...

— Mas já vão melhorar, num instante — disse a mulher de Cratchit. — Não faz bem ficar forçando a vista com este trabalho à luz de velas. E por nada deste mundo quero que seu pai me veja com olhos vermelhos quando ele chegar. Aliás, ele já deve estar chegando...

— Já devia estar aqui — respondeu Peter, fechando o livro. — Mas acho que nestas últimas semanas ele tem vindo andando mais devagar do que de costume, mãe.

Ficaram quietos de novo. Finalmente, ela disse, numa voz firme e alegre, que só falhou um pouquinho:

— Mas muitas vezes eu vi que ele vinha andando.... Vi seu pai andando com o pequeno Tim nos ombros, e andava bem depressa.

— Eu também vi — disse Peter. — Muitas vezes.

— E eu também! — exclamou outro.

Todos tinham visto.

— Mas ele era tão leve de se levar — disse ela de novo, voltando ao trabalho —, e o pai o amava tanto que nem sentia o peso. Não era nenhum problema... E, agora, aí está seu pai na porta.

Levantou-se correndo para ir ao encontro dele. E entrou o pobre Bob com seu cachecol — que era mesmo muito necessário. O chá estava à sua espera no fogo, e todos tentaram ajudá-lo da melhor maneira possível.

Depois, os dois pequenos foram para o colo dele, deitaram em seus ombros, cada um de um lado, e, encostando os rostos no do pai, disseram:

— Não fique assim, pai. Não sofra tanto.

Bob falou alegremente com eles, tentou ser agradável com toda a família. Olhou o trabalho em cima da mesa e elogiou a habilidade e a rapidez da senhora Cratchit e das meninas. Disse que iam acabar muito antes do domingo.

— Domingo! Então você foi lá hoje, Bob?

— Fui, minha querida. E gostaria que você também tivesse ido. Ia lhe fazer bem ver como é um lugar tão verde. Mas você vai poder ver muitas vezes. Prometi a ele que iria até lá num domingo. Meu filhinho, meu filho querido! — exclamou, quase gritando. — Coitado do meu filho, tão pequenino!

Não conseguiu mais segurar e caiu no choro. Se segurasse, seria pior. Talvez ele e o filho ficassem ainda mais distantes.

Saiu da sala e subiu para o quarto, que estava bem iluminado, com luzes alegres, e enfeitado para o Natal. Havia uma cadeira ao lado da criança, com sinais de que alguém estivera lá recentemente. O pobre Bob se sentou e, depois de refletir um pouco e se recompor, beijou o rostinho ao seu lado. Mais conformado com o que tinha acontecido, desceu de novo, com um ar mais sereno.

Atiçou o fogo e conversou. As meninas e a mãe ainda trabalhavam. Bob contou a elas como o sobrinho do senhor Scrooge tinha sido extraordinariamente gentil. Mesmo só o tendo visto uma vez, quando o encontrou na rua aquele dia percebeu que ele estava um pouco triste — "bem, só um pouquinho abatido, sabem", disse Bob — e perguntou o que tinha acontecido para deixá-lo nesse estado.

— Então eu contei a ele — disse Bob — porque é um senhor muito amável, o mais simpático que vocês puderem imaginar. E ele disse: "Sinto muito, senhor Cratchit, sinceramente. Muito mesmo. Pelo senhor e pela senhora Cratchit, tão bondosa". Não sei como é que ele soube disso...

— Soube o quê, meu querido?

— Que você é tão bondosa.

— Mas todo mundo sabe disso! — exclamou Peter.

— Boa resposta, meu filho. Acho que todo mundo sabe mesmo. E depois ele me deu um cartão dele, este que está aqui, e disse: "Se eu puder ser útil em alguma coisa, aqui está meu endereço, por favor não hesite em me procurar". Mas o que me comoveu não foi tanto a oferta de ajuda, foi o jeito bondoso, quase carinhoso, com que ele falou. Parecia até que ele tinha conhecido nosso pequeno Tim e estava sofrendo conosco.

— Tenho certeza de que é uma boa alma! — exclamou a senhora Cratchit.

— E teria ainda mais certeza, querida, se o tivesse visto e falado com ele. Eu não me surpreenderia se ele conseguisse um lugar melhor para o Peter...

— Ouça o que seu pai está dizendo, Peter...

— E, se Peter tiver um emprego melhor — disse uma das meninas —, vai poder casar e ter a casa dele.

— Quer fazer o favor de calar a boca? — respondeu Peter, fazendo uma careta.

— É bem provável que isso aconteça, um dia destes — disse Bob. — Mas há muito tempo para isso, minha querida. O que eu sei é que, aconteça o que acontecer, mesmo que cada um de nós vá para um lugar diferente, tenho certeza de que ninguém nunca se esquecerá do pequeno Tim, desta primeira separação que houve entre nós, desta primeira despedida. Não é mesmo?

— Nunca, papai! — gritaram todos.

— E eu também sei, meus queridos, que sempre que nos lembrarmos dele, de como ele era paciente e carinhoso, mesmo sendo muito, muito pequenino, nós vamos ser muito amigos uns dos outros, sem discutir nem brigar, sem nunca esquecer o pequeno Tim pelo meio de alguma discussão.

— Nunca, papai! — gritaram todos de novo.

— Fico muito contente com isso — disse Bob. — De verdade, muito contente mesmo.

A senhora Cratchit deu um beijo nele, as filhas e os dois pequenos também, e Peter veio apertar a mão do pai. Espírito do pequeno Tim, tua essência vinha de Deus!

— Espectro! — disse Scrooge. — Algo me diz que está chegando o momento de nossa separação. Não sei como, mas sei. Antes de ir, me diga quem era o homem que vimos lá deitado, morto...

O espírito dos Natais Futuros o guiou outra vez, como antes — mas em um tempo diferente, parecia não haver muita ordem nestas últimas visões, ainda que todas estivessem no futuro — pelos escritórios e prédios dos homens de negócios, mas ele não se viu em parte alguma. Na verdade, o espírito não parava em lugar nenhum, só seguia adiante, como se tivesse um objetivo muito nítido. Até que fez um sinal para que Scrooge se detivesse por um momento.

— Aqui, para onde viemos com tanta pressa, é meu lugar de trabalho — disse Scrooge — há muito tempo. Conheço a casa. Mostre-me agora o que eu vou ser, nos dias vindouros.

O espírito ficou parado. A mão apontava em outra direção.

— A casa está vazia — disse Scrooge. — Por que você aponta para outro lugar?

O dedo inexorável não mudou.

Scrooge correu para a janela e olhou para dentro. Ainda era um escritório, mas não era o seu. Os móveis eram diferentes, e o vulto na cadeira não era ele. O fantasma continuou apontando, como antes.

Ele o acompanhou novamente, tentando descobrir por que tinha ido embora, e para onde. Continuaram até chegar a um portão de ferro. Antes de entrar, Scrooge parou para olhar em volta.

Era um cemitério. Então era aqui que, embaixo da terra, jazia o pobre morto cujo nome iria agora descobrir. Um lugar impressionante, cercado de casas, tomado pelo mato e pelo capim, que cresciam como se fossem uma vegetação da morte, não da vida. Plantas nutridas com enterros demais, gordas, cheias de apetite. Um lugar insaciável.

O espírito se deteve entre os túmulos, apontando um deles. Scrooge chegou perto, tremendo. O fantasma era o mesmo de antes, mas lhe parecia que sua forma solene adquiria outro significado.

— Antes que eu veja a pedra que está apontando — disse ele —, responda a uma pergunta. Essas sombras todas são sombras de coisas que vão acontecer? Ou apenas que podem acontecer?

O fantasma continuou como estava, apenas apontando a sepultura junto da qual estava.

— Nos caminhos que os homens seguem, projetam-se certas sombras, criadas pelo que fazem, e, se eles continuarem com suas ações, chegarão ao fim que elas apontam — disse Scrooge. — Mas, se se afastarem, certamente esse fim irá mudar. Diga-me que é assim! Mostre-me que vai acontecer diferente!

O espírito continuou imóvel como antes.

Scrooge se aproximou, tremendo, quase se arrastando. Ao seguir o dedo, leu na pedra do sepulcro abandonado seu próprio nome: EBENEZER SCROOGE.

— Sou eu o morto naquela cama? — gritou, ajoelhando-se.

O espírito apontou do túmulo para ele, e de novo para o túmulo.

— Não, espírito! Não! Não!

O dedo continuava apontando.

— Espírito! — gritou ele, agarrando a túnica. — Ouça-me! Eu não sou mais o homem que eu era. E, depois de tudo isto que vi, não serei mais o homem que eu fui. De que adiantaria me mostrar tudo isso, se eu não pudesse ter nenhuma esperança?

Pela primeira vez, pareceu que a mão tremia.

— Bom espírito — continuou ele, tão prostrado no chão quanto conseguia —, sei que sua natureza bondosa tem pena de mim e intercede por mim. Prometa-me que ainda posso mudar essas sombras que me mostrou, se eu transformar minha vida!

A bondosa mão tremeu.

— Prometo que vou honrar o Natal no meu coração e guardar seu espírito comigo, o ano todo. Vou viver no passado, no presente e no futuro. Os espíritos dos três vão estar sempre dentro de mim, não vou esquecer as lições que me ensinam. Por favor, diga-me que vou poder passar uma esponja no que está escrito nessa pedra!

Em sua agonia, agarrou a mão do fantasma. Ele tentou se soltar, mas Scrooge puxou com força. Mais forte ainda, o espírito o repeliu.

Erguendo as mãos numa última prece para que seu destino mudasse, viu uma alteração no capuz e na roupa do espírito. Estavam encolhendo, desabando, e se reduziram aos poucos a uma coluna de sua cama.

V

O final de tudo

Era isso mesmo! As colunas de sua cama. Sem a menor dúvida, era sua própria cama. Seu quarto. E, melhor ainda, mais feliz que tudo, o tempo a sua frente era todo seu, para consertar o que pudesse.

— Vou viver no passado, no presente e no futuro! — repetiu Scrooge, saindo da cama — Os espíritos dos três vão ficar dentro de mim. Oh, Jacob Marley! E que o tempo de Natal seja louvado por causa disso. Digo isso de joelhos, meu velho Jacob. De joelhos!

Estava tão tomado de boas intenções, tão emocionado com elas, que sua voz alquebrada nem respondia direito a seu chamado. Estivera chorando violentamente em seu conflito com o espírito, e seu rosto estava molhado de lágrimas.

— Ninguém as levou ainda — exclamou Scrooge, dobrando nos braços uma das cortinas da cama. — Ainda não foram levadas, com as argolas e tudo. E estão bem aqui. Eu estou aqui. As sombras das coisas que aconteceriam podem ser dispersadas. E vão ser. Tenho certeza de que vão ser mesmo.

Suas mãos estavam o tempo todo ocupadas com suas roupas — virando-as pelo avesso, trocando-as de lugar, botando-as de cabeça para baixo, fazendo com elas todo tipo de extravagância.

— Nem sei o que fazer! — exclamou ele, rindo e chorando ao mesmo tempo, enquanto mexia com uns pares de meias como se fosse um perfeito Laocoonte*. — Estou me sentindo leve como uma pluma, feliz como um anjo, alegre como um menino de escola. Estou eufórico como um bêbado. Feliz Natal para todo mundo! Feliz Ano-Novo para o mundo inteiro! Bom dia! Viva!

---

* O autor faz uma referência irônica a um episódio da mitologia grega: Scrooge estaria lutando com suas meias tal como o troiano Laocoonte se debateu com as serpentes marinhas que o mataram. (N.T.)

Tinha passado para a sala e lá estava agora de pé, ligadíssimo, olhando tudo.

— Ali está a panela onde estava a comida! — exclamou Scrooge, começando de novo a explorar tudo para conferir. — E a porta, por onde entrou o fantasma de Jacob Marley. E o canto onde se sentou o Espírito do Natal Presente. E ali está a janela por onde eu vi os espíritos que passavam. Está tudo certo, é tudo verdade. Tudo aconteceu mesmo. Rá, rá, rá!

Realmente, para um homem que estivera sem prática por tantos anos, foi uma gargalhada esplêndida, maravilhosa. A mãe de uma longa linhagem de gargalhadas fantásticas.

— Não sei que dia do mês é! — disse Scrooge. — Não sei quanto tempo fiquei entre os espíritos. Não sei de nada. Sou um bebê. Não faz mal, não ligo, eu gosto de ser um bebê. Ei, viva! Bom dia!

Em seus transportes de alegria, chegaram a ele os sons dos sinos das igrejas, com as batidas mais alegres que jamais ouvira. Blem, blão, clingue, clangue, dingue, dongue, bim! Bim, dongue, dingue, clangue, clingue, blão, blem! Glorioso, glorioso!

Correndo para a janela, abriu-a e pôs a cabeça de fora. Nada de neblina, nem de névoa. Um frio claro, brilhante, alegre, estimulante. Entrava pela circulação, fazia o sangue dançar. Sol dourado. Céu divino. Doce ar fresco. Glorioso, glorioso!

— Que dia é hoje? — gritou ele lá para baixo, perguntando a um menino em roupas domingueiras que talvez tivesse parado só para olhar para ele.

— O quê? — perguntou o outro, espantado.

— Que dia é hoje, meu bom rapaz? — repetiu Scrooge.

— Hoje? — respondeu o menino. — Ora, é Natal.

— Natal! — disse Scrooge para si mesmo. — Não o perdi. Os espíritos fizeram tudo numa noite só. Eles podem fazer tudo o que quiserem, é claro. Evidente que podem. Ei, meu rapaz!

— Sim?

— Você conhece aquele açougue que fica numa esquina a umas duas ruas daqui?

— Acho que sim.

— Que rapaz inteligente! Que menino notável! — disse Scrooge. — E você sabe se eles venderam aquele peru especial, premiado, que estava lá enfeitando a vitrine? Não o pequeno, mas o maior...

— Aquele grandão, quase do meu tamanho?

— Que menino esperto! — disse Scrooge — É um prazer conversar com alguém assim. Esse mesmo, garoto!

— Está lá, pendurado. Ainda agora eu vi.

— Está? — repetiu Scrooge — Então vá lá comprar.

— Está zombando de mim?

— Não, não — disse Scrooge — Estou falando sério. Vá lá comprar e diga a eles para trazerem até aqui, que eu dou o endereço de onde devem entregar. Volte aqui com o homem, e eu lhe dou um xelim. Volte em menos de cinco minutos, e ganha meia-coroa.

O menino saiu na disparada, como uma bala. Parecia que alguém apertara um gatilho.

— Vou mandar entregar na casa de Bob Cratchit! — murmurou Scrooge, esfregando as mãos, dando uma gargalhada. — Ele nunca vai adivinhar quem mandou. Tem o dobro do tamanho do pequeno Tim. Nunca ninguém fez uma brincadeira tão boa com alguém.

A mão com que escreveu o endereço não estava muito firme, mas ele escreveu mesmo assim, e desceu as escadas para esperar o homem do açougue na porta da rua. Enquanto estava ali parado, bateu com o olhar na aldraba.

— Vou sempre adorar esta aldraba, enquanto viver — disse ele, alisando-a com a mão. — E eu mal tinha reparado nela antes. Agora a acho maravilhosa, tão expressiva... Ah, lá vem o peru. Ei, viva! É aqui! Como vai o senhor? Feliz Natal!

Que peru! Não dava para imaginar que aquela ave um dia podia ter ficado de pé. Parecia impossível. Na certa suas pernas se quebrariam como palitos de fósforo com um peso daqueles.

— É pesado demais, não vai dar para carregar até Camden Town. Melhor tomar um táxi — disse Scrooge.

E disse isso com uma risada. E essa risada, mais a risada com que pagou o peru, a risada com que pagou o táxi e a risada com que recompensou o menino só foram ultrapassadas pelas risadas que deu quando voltou para sua cadeira de novo, sentou-se e riu até ficar sem fôlego e as lágrimas escorrerem.

Não foi fácil fazer a barba, porque suas mãos continuavam muito trêmulas. Além disso, barbear-se sempre exige atenção, mesmo quando o sujeito não está dançando. Mas Scrooge nem estava ligando e, se acontecesse de cortar a ponta do nariz, ia só botar um pedaço de esparadrapo e ficar muito satisfeito.

Vestiu-se “com a melhor roupa” e foi para a rua. A essa altura, as pessoas estavam todas saindo de casa, como ele tinha visto com o Espírito do Natal Presente. Caminhando com as mãos nas costas, Scrooge olhava para todo mundo com um sorriso deliciado. Parecia tão contente que uns três ou quatro sujeitos, bem-humorados, ao passar por ele cumprimentaram:

— Bom dia! Feliz Natal!

E como Scrooge disse depois, de todos os sons felizes que ouvira na vida foi esse o mais feliz.

Não tinha ido muito longe quando viu que vinha andando em sua direção aquele mesmo cavalheiro que na véspera entrara em seu escritório, perguntando “Scrooge e Marley?” Sentiu um aperto no coração ao imaginar como aquele senhor idoso iria olhar para ele quando se cruzassem. Mas sabia qual era o caminho que se abria diante de si e enveredou por ele.

— Meu caro senhor — disse Scrooge apertando o passo e cumprimentando o cavalheiro com as duas mãos —, como vai? Espero que tenha tido sorte ontem... É muito bondoso de sua parte dedicar-se a uma iniciativa dessas. Feliz Natal!

— Senhor Scrooge?

— Exatamente, é meu nome. E imagino que não seja um nome agradável para o senhor. Permita-me que lhe peça perdão. E, se tiver a bondade...

Em seguida, murmurou alguma coisa no ouvido do outro.

— Meu Deus do Céu! — exclamou o cavalheiro, quase sem fôlego. — O senhor está falando sério?

— Por favor, nem um centavo a menos — disse Scrooge. — Posso lhe garantir que é isso mesmo. Estou incluindo vários pagamentos atrasados. O senhor me faz esse favor?

— Meu caro senhor — disse o outro, apertando a mão de Scrooge num cumprimento —, nem sei o que dizer diante de tamanha generosi...

— Pois não diga nada — interrompeu ele. — Apenas venha me ver no escritório. Promete?

— Prometo!

E era evidente que ele pretendia cumprir a promessa.

— Obrigado — disse Scrooge. — Nem tenho como lhe agradecer. Deus o abençoe!

Foi à igreja, caminhou pelas ruas, observou as pessoas se apressando de um lado para outro, fez carinho na cabeça de crianças, conversou com mendigos, olhou para dentro das cozinhas das casas, espiou por janelas. Descobriu que tudo podia lhe dar muito prazer. Nunca na vida tinha imaginado que um simples passeio à toa — aliás, que qualquer coisa — pudesse lhe trazer tamanha felicidade.

De tarde, dirigiu seus passos para a casa do sobrinho.

Passou uma dúzia de vezes pela porta, antes de ter coragem de subir os degraus e bater. Mas acabou tomando a decisão.

— Será que seu patrão está em casa, minha cara? — perguntou à moça que abriu.

Que moça simpática! Muito mesmo.

— Sim, senhor.

— E onde é que ele está, minha filha?

— Na sala de jantar, senhor, com a patroa. Eu lhe mostro o caminho, se quiser.

— Não é necessário, obrigado — disse ele, já com a mão na maçaneta. — Ele me conhece bem, e eu posso ir sozinho, minha cara.

Girou a maçaneta de leve e meteu a cara por detrás da porta. Os dois estavam examinando a mesa (que estava posta e arrumada com muito capricho), conferindo tudo, como geralmente fazem os jovens donos de casa, sempre nervosos com essas coisas, querendo ter certeza de que tudo está perfeito.

— Fred! — chamou Scrooge.

Meu Deus do Céu, que susto enorme levou a sobrinha por afinidade! Por um instante, Scrooge tinha se esquecido dela. Caso contrário, jamais teria feito isso.

— Valha-me Deus! — exclamou Fred. — Quem é?

— Sou eu. Seu tio Scrooge. Vim para a ceia com vocês. Posso, não posso, Fred?

Se podia! Só faltou que o sobrinho o carregasse no colo, e quase arrancou o braço dele fora, de tanto lhe apertar a mão. Em cinco minutos estava perfeitamente à vontade, se sentindo em casa. Nada poderia ser melhor. A sobrinha o recebeu da mesma maneira. E também Topper, quando chegou. E a irmã rechonchuda, quando também chegou. Foi assim que todos o receberam, quando chegaram. Foi uma festa maravilhosa, cheia de jogos maravilhosos, de uma harmonia maravilhosa, de uma felicidade absolutamente ma-ra-vi-lho-sa!

Mas, no dia seguinte, chegou cedo ao escritório.

O relógio deu nove horas. E nada de Bob chegar. Nove e quinze. Nada de Bob. Chegou atrasado exatamente dezoito minutos e meio.

Scrooge estava sentado, esperando, com a porta completamente aberta, para poder ver quando ele entrasse.

Antes de entrar, ele já tinha tirado o chapéu. E também o cachecol. Num instante estava encarapitado em seu tamborete alto, escrevendo com a caneta. Como se estivesse tentando recuperar as nove horas.

— Ei! — grunhiu Scrooge, com voz parecida com a de sempre, na melhor imitação que conseguia fazer. — O que significa isso de chegar a esta hora?

— Sinto muito — disse Bob. — Eu me atrasei, desculpe.

— Atrasou-se? — repetiu Scrooge. — É isso mesmo. Acho que se atrasou. Dê um pulinho aqui, por favor.

— É só uma vez por ano, senhor — suplicou Bob, aproximando-se. — Não vai acontecer mais. É que ontem tivemos uma festa ótima, senhor.

— Pois vou lhe dizer uma coisa, meu amigo — disse Scrooge. — Não estou mais disposto a tolerar esse tipo de coisa. E, portanto — continuou, pulando de seu banco e dando um cutucão tão forte no colete de Bob que este foi obrigado a recuar de volta para seu lugar —, você está recebendo um aumento, neste exato instante. Vai ganhar mais.

Bob começou a tremer e segurou a régua. Por um momento, pensou em dar uma boa pancada com ela na cabeça de Scrooge e ir correndo até o pátio pedir socorro, para que o ajudassem a meter o velho numa camisa de força.

— Feliz Natal, Bob! — disse Scrooge, com uma seriedade que não admitia dúvidas, enquanto lhe dava tapinhas nas costas. — Um Natal muito mais feliz, meu caro Bob, do que todos os que eu lhe dei, por muitos e muitos anos. Estou aumentando seu salário e vou tentar dar assistência a sua família batalhadora. Vamos discutir esses assuntos nesta mesma tarde, em volta de uma terrina fumegante de uma ótima sopa de Natal, Bob. E, antes de sentar aí e começar a trabalhar, vá comprar mais carvão para a gente poder ter um fogo caprichado e aquecer bem este lugar. E não demore, Bob Cratchit!

Scrooge fez mais do que tinha prometido. Tudo isso e muito mais. E para o pequeno Tim, que NÃO morreu, ele acabou sendo um segundo pai. Mudou completamente. Acabou sendo o melhor patrão, o melhor homem, o melhor amigo que aquela boa e velha cidade jamais conheceu. Ou qualquer outra cidade, vila ou bairro neste mundo bom e velho.

Muita gente riu da transformação. Mas ele nem ligava. Pois era sábio o bastante para saber que nunca aconteceu nada de bom nesta terra sem que algumas pessoas vejam nisso motivo de zombaria e risada. E, como tinha plena consciência de que essas pessoas, de qualquer modo, estariam cegas ao bem, achou que era melhor que os olhos delas se apertassem e enrugassem de tanto rir, em vez de terem a doença em outras formas menos atraentes. Seu próprio coração ria muito. E isso lhe bastava.

Não teve mais nenhum contato com os espíritos. Mas viveu daí em diante seguindo o Princípio da Generosidade Total. E sempre se disse dele, desde então, que era um homem que sabia celebrar o Natal, mantendo seu espírito consigo o tempo todo — se é que algum homem tem essa qualidade.

Que o mesmo possa ser dito de cada um de nós, e de todos nós. E assim, como brindou o pequeno Tim, que Deus abençoe cada um de nós!

Eu LEIO

As histórias mais famosas do mundo, numa saborosa combinação de aventura e mistério

O escaravelho de ouro e outras histórias

Edgar Allan Poe

O mistério, a surpresa e o humor, em sete contos de um escritor sempre atual, mestre do suspense e do macabro.

O príncipe e o mendigo

Mark Twain

Um precisa mendigar para sobreviver, o outro será rei de toda a Inglaterra — e ambos são idênticos!

O livro da selva

Rudyard Kipling

Nas matas indianas, Mowgli, o menino-lobo, aprende a Lei da Selva pelo caminho mais difícil: lutando para sobreviver.

O chamado da floresta

Jack London

Um cão muito especial está pronto a ouvir uma voz poderosa — a voz do instinto. E, nas matas geladas, ela o chama...

Um estudo em vermelho

Conan Doyle

A estreia de Sherlock Holmes, o mestre da dedução, numa narrativa de mistério, vingança e aventura.

O médico e o monstro

Robert Louis Stevenson

Há um monstro dentro de nós? O que distingue o bem e o mal? São questões que o dr. Jekyll terá de enfrentar...

Clássicos da literatura em textos integrais, cuidadosamente traduzidos

Caninos brancos

Jack London

A selvageria e a amizade em dois mundos: o dos bichos e o dos homens.

A ilha do tesouro

Robert Louis Stevenson

Por causa de um mapa e um pirata, o jovem Jim está prestes a mergulhar na maior aventura de sua vida...

O fantasma da ópera

Gaston Leroux

Um homem deformado se esconde num teatro e se apaixona por uma jovem atriz. Fantasmas e assassinatos cercam essa história de mistério.

Histórias de crime e mistério

Edgar Allan Poe

Diante do cavalheiro C. Auguste Dupin, todo investigador parece um burocrata ingênuo. Dupin desvenda crimes usando sua capacidade de análise e imaginação.

Viagem ao centro da Terra

Júlio Verne

O fantástico mergulho nas entranhas do planeta, por um dos mais imaginativos e populares escritores de todos os tempos.

As aventuras de Tom Sawyer

Mark Twain

Embarque com os garotos-piratas do Mississípi num clássico do humor, mistério e ação.

Alice no País das Maravilhas

Lewis Carroll

Alice vê um coelho correndo e o segue. Cai num buraco e chega ao País das Maravilhas, onde tudo pode acontecer.

O mistério do quarto amarelo

Gaston Leroux

Um misterioso crime intriga um repórter. A vítima de um assassinato é encontrada num quarto sem saídas possíveis para o criminoso.